老記者の伝言

日本で100年、生きてきて

むのたけじ　聞き手・木瀬公二

朝日文庫

本書は二〇一五年七月、朝日新書より刊行された『日本で100年、生きてきて』を改題、「巻末エッセイ　父・むのたけじと過ごした5年間」と「むのたけじ年表」を加筆したものです。

まえがき　今この本を世に送るわけ

「戦後70年」という言葉に接すると、もうそうなったかと時の歩みに感慨を覚える。けれど、すぐ別のことを考える。老いゆえの過敏のせいか。「戦後」の2字に刺激されて、戦後処理を思い、日本のそれが70年たった今もぶざまな姿で近隣諸国との間に軋轢(あつれき)を続けていることを情けなく思う。日本と違ってドイツの対応は見事でしたな。ヒトラーのナチスがやった戦争犯罪すべてをドイツ国民みんなの責任として詫(わ)びた。そして戦争で迷惑をかけた諸国家、諸国民への詫びに物心両面で全力を尽くした。だから、許されて、ヨーロッパ社会に受け入れられて国際社会で見事な働きを続けている。

ドイツになぜそれができたか。私の考えでは歴史に学ぶ能力を持っていたからだ。ドイツ社会はデモクラシー、ヒューマニズム、資本主義、社会主義、共産主義の成立に母の役割を果たした。だから歴史の指さす道をキチンと見たのであろう。

日本の政府と国民はあの敗戦時にすぐやるべきことがあった。満州事変以来の十五年戦争の責任の所在、戦場での犯罪行為に対する裁き、そして、迷惑をかけた諸国民への詫びをキチンと自らやるべきであった。なぜそれができなかったか。まっすぐに歴史に学ぶ能力を失っていたからだ。それはなぜだ?

大日本帝国憲法では、我々日本人は国民でも人民でもなく、「臣民」と呼ばれた。絶対君主制のもとですべて政府の命令に従う家来でした。だから、政府の命令からはずれて非国民と呼ばれることを最も恐れた。それゆえ万事に事なかれ主義になり、「見ざる・聞かざる・言わざる」の状態に陥った。

ここで私は私自身を語らねばならぬ。社会が戦中から戦後へ苦渋の道を歩いていた時、私はジャーナリズムを職場としていた。そこの職務は社会の進路を誤らせないための情報と判断を提示することだ。けれど、その職場は戦争政策に押し切られて、役目をほとんど何も果たせなかった。私はそこに身を置いた一人として、二度と同じ恥辱と屈辱は繰り返すまいと自己反省を重ねた。そして自戒の言葉をこころの内側で絶えず噛みしめている。その幾つかを箇条書きで紹介する。

*大きく見える問題に直面したら、形の大きさにおびえるな。そこにある小さいもの、弱いもの、薄いもの、軽いものに注目せよ。問題解決のカギはそこにあ

る。数字だって、万も億も1が土台だ。
＊人間の道徳は、他人から教えてもらうものではない。自分で気づいて、自分で学ぶものだ。
＊中途半端な態度はやがて全部をこわす。やらないと決めたら、指一本動かすな。やると決めたら、トコトンやり抜け。
＊社会が大きな困難に直面すると、人びとはいつも英雄待望に走った。けれどもすべては無駄だった。他力依存はすっぱりと断ち切る。みんなの運命に関わる問題を解決するには、幼少青壮老の五連帯で、みんなで力を合わせなければならぬ。力を合わせれば必ず解決できる。
＊70億人の人類の中にあなたはあなた一人だけ、わたしは私一人だけ。世界中の科学技術を集めても同一人間の再生は不可能だ。まったくかけがえのない生命、それが人間だ。そのことに責任と誇りを貫けば、力はこんこんと湧いてくる。あきらめることをあきらめてまっすぐに努力すれば人間の願いはきっと実を結ぶ。

ここで、本書のことですが、職業仲間の木瀬公二君があとがきで述べているように、社会の出来事について彼と私とが徹底して検討を加えた記録です。この文章と箇条書きで紹介した自己反省とは100年の「経験智」からのメッセージです。この本を手にしたあなたにそれをきびしく吟味してもらいたい。そして共鳴し共感することがあったら、たった一つのことで結構です、それをあなたの人生に生かして下さい。

私の予感では、人類の存亡を分ける事態にやがて真っ正面から取り組むのは、現在の青少年です。無論その時に私は死んでいますが、こころの思いは現在の若い人びとと共にいたい。

むのたけじ

2015年5月3日

巻頭言

人は違っているからわかり合える

転換点は、あるのではなくて、自分でつくるのよ。それは1941（昭和16）年12月8日。始まった日があるから原爆があって終わった日、1945（昭和20）年8月15日がある。原因をつぶさなければ同じことが起きる。なぜあの日があったのか。その日の様子はどうだったのか。誰が仕組んだのか。国民の誰一人として相談受けなかったでしょ。

朝日新聞も、真珠湾奇襲の大軍事行動を知らなかった。私は東京社会部員で浦和（現さいたま市）に住んでいて、朝6時か7時か本社から電報が来たの。全社員に同じ文章。「直ちに出社せよ」だ。うんと寒かったな。

行ってみたら戦が始まったって。編集局みんなショック受けちゃって、誰も物言えなかった。異様な沈黙でしたよ。最初は「戦争状態に入った」。しばらくして「真珠湾で軍艦やっつけた」。そういう発表があったけど、万歳なんて喜ぶ馬鹿はいなかったな。通夜みたいな感じでした。何も知らないうちに始まったショックと、これからどうなるかという不安ですよ。

そしてずるずると３００万人の同胞を死なせ、２０００万人の中国人を殺したそうだ。こんなことがあっていいのかと考えなきゃいかんでしょ。考えたらそうならないための365日の生活の中での戦いが必要だということになるんじゃないですか。

戦争というのは、殺すか殺されるか。でもそれだけじゃない。夫の戦死を知らされた奥さんが泣いたら「非国民」。だから「お国のために命をささげた立派な夫でした」とけなげな妻を演じる。全部うそっぱち。

新聞社でも3人おれば口つぐむ。憲兵隊や特高に知れるのを身構えるわけよ。刑務所、拷問と直結だもの。2人だと誰がばらしたかわかるけど、それ以上だとわからないから。みんな不信感だらけ。本当の友人っていうのは、なかなかできなかったな。自分がいつ非国民と言われるかの恐怖心で隣近所がお互いをしばり合う。戦争やると人間が人間でなくなるの。

私は朝日を退社以来、戦争をなくすることに命をかけてきた。平和運動だ、抗議集会だと何百回もやったけど、一度も戦争をたくらむ勢力に有効な打撃を与えられなかった。軍需産業はむしろ成長しているんじゃないの。「戦争反対行動に参加した私は良心的だ」という自己満足運動だから。それでも意思表示をしないと権力は

「民衆は反対していない」と勝手な判断をするからやめるわけにはいかない。

でもそれだけじゃダメだ。今は「戦争はいらぬ、戦争はやれぬ」の二つの平和運動でないとならない、と怒鳴り声をあげている。

「いらぬ」というのは、資本主義を否定すること。戦争は国家対国家、デモクラシー対ファッショなどあったが、今、根底にあるのは、人工的に起こす消費。これだけなんだ。作って売ってもうける。そこにある欲望が、戦争に拍車をかけてきた。

無限の発展はいらない。当たり前の平凡な、モノ・カネ主義でない、腹八分目で我慢する生き方が必要なんです。地球の環境を大事にするとか、スローペースの生き方とかですよ。

そのことに一人ひとりが目覚め、生活の主人公になること。これが資本主義を否定する普通の人間主義の生き方。戦争のたくらみをやめさせるのはこれなんだ。金もいらない、命令も法律も何もいらないもの。

そこで要になるのは、違うものを排撃することをやめること。人は「違っていてもわかり合える」のじゃなくて「違っているからわかり合える」の。夫婦も家族もそこからでなきゃいかんのよ。結婚すると「偕老同穴（かいろうどうけつ）」「一心同体」。違うって。同じじゃないことを認め合うことで本当に愛し合い、認めることができるの。

今は弾丸の飛ばない戦争状態

「戦争はやれぬ」とは兵隊になる人間が一人もいなきゃいいということですよ。兵隊は365日、いかにして人を殺すかという訓練やらされるわけでしょ。それをやる人間がいなきゃ兵器があったって動かないわけだから。自衛隊が海外に行くのは人道主義だって言うんでしょ。だったら武器置いて、労働着で行けばいいじゃないの。そうじゃないでしょ。自衛隊も軍隊なの。だから私ども、自衛隊には一人も入らないという国をつくろうと思うんですよ。行かなくたって山仕事でも田んぼ仕事でも人並みの仕事ができる国をつくりたいのよ。

そういう運動が本当に強くなれば当然、国家権力は困るから必ず「職業選択の自由に対する挑戦だ」となる。そこで丁々発止やればいい。自衛隊は軍隊じゃないのか。兵隊は職業と言えるかどうか。そういう平和運動じゃなければだめだ。祈りや願いじゃ変わらん。

戦争には、砲弾の飛ぶ段階と飛ばない段階がある。42年3月に陸軍はジャワで軍政布告したけれど、記者として従軍していた私は、その前に台湾で、関係する極秘文書を見たの、日本軍の高級将校を酔わせて。3カ月後はどうする、半年後はどうすると書かれたシナリオよ。その通りに進んだな。

作られたのは40年春だ。実行に移す2年も前。弾は飛んでいないけどその時点で戦争は始まっていたわけだ。それを朝日が書いていれば、多分私たちは「情報を捏造して国家に反逆した」として死刑だったろうな。

そういう弾丸の飛ばない戦争状態に今は入っちゃっている。今度の第3次世界大戦では必ず核爆弾を使う。人類が地球上に存在できるのはあと数十年間かも知れないし数万年かも知れない。どうなるかはこれからの10年で決まる。本当にそういうところに来ていると思ってますよ。

確認しておかにゃならんことは「戦争はやめられる」ということ。人類の歴史から見れば戦争はつい最近始まった。それまではずっと知恵を出し合い、協力して生きてきた。だからみんながやめようと思えばやめられるんだ、という確信を持つことが大事なの。それを言いたくてついおっきい声になるわけだ。

な

老記者の伝言 ● 目次

第1章　どうしてこんな国になった

第2章 戦争とはどんなものか

第3章　やるならトコトン、あきらめるのをあきらめろ

第4章 東北と沖縄と

第5章　100年生きて、わかったこと

●2008年8月22日 巻頭言「人は違っているからわかり合える」から『朝日新聞』秋田県版・岩手県版・東北6県版に随時掲載したもの。

●『朝日新聞』木瀬公二記者が「聞き手」として記事にまとめた。

●各扉の色紙書＝むのたけじ筆

●挿絵＝木瀬なずな

老記者の伝言　日本で１００年、生きてきて

な

第1章　どうしてこんな国になった

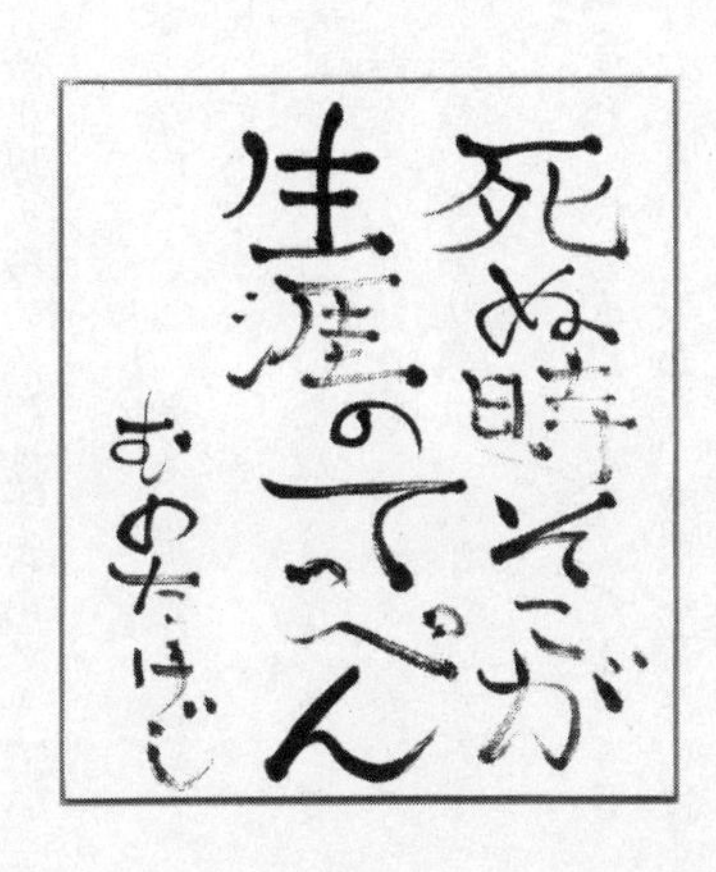

死ぬ時が人間てっぺん

2015年1月16日

1月2日で100歳になりました。長く生きたと思いますね。

これまでの歩みの中で、私が何を願ってきたかと言えば、戦で殺し合い、大勢の犠牲を出すようなばかげたことのない世の中にしたい、ということです。それが、現在の状況ではかなえられないどころか、第3次世界大戦の危険性すら出てきている。

100年も長生きして、一番の願いを実現できないでいる。残念だ。これにめどをつけるまで何とか生きなきゃいかん。そう思っています。

だから、100歳のお祝いをやろうとみんなに声をかけていただくけど、断ってきた。100歳になったことに値するような、社会への足跡を現実につくったのでなければ、おめでとうとは言えないと思いましてね。今の状態は、気がついたら100歳になっていただけだもの。

100年の間で、最も大きな出来事は戦争ですね。10万人以上が死んだ1945年3月の東京大空襲があったけど、朝日新聞は大本営が発表した、敵機が帝都を盲爆したが鎮火し、15機を撃墜して約50機に損害を与えたという記事を載せた。間違ってはいないけど、実態と違い過ぎる。戦争中はそういう記事が大半だった。

8月15日に、編集局の中で「時間は遅れたけど、本当のことを読者に届けましょう」と言う人が一人でもいれば、全員が賛成して、「遅くなりましたけど本当はこうでした」という新聞をつくったはずなんです。編集局にはなんとかしなければならないという雰囲気が漂っていましたから。読者にお詫びして、そういう新聞をつくり続けなければいけなかった。それに気づかなかった。一番、反省するところです。

100年で一番うれしかったのは美江さんと出会ったことでしょう。ほれたということもなく、秋田市で友達になって本を貸したり感想を語り合ったりの友情から、20歳代半ばで結婚した。結局、私が90歳、彼女が92歳までの67年間暮らしました。

週刊新聞『たいまつ』が持続できたのも、彼女がいたからです。借金を払うために自分の和服を売ったり、右翼が怒鳴り込みに来た時は「子どもが寝ているので静かにしてください」と追い払ったり。人間としての粘り強さのようなものがあったな。

年老いた夫婦が仲良くする。そういう家庭が多ければ、世の中はもっと明るくなって悲劇が減ると思うんだ。それは、男と女が一緒に年をとる努力をするということ。そこから人間らしい喜び、幸福が生まれてくると思うな。

一番悲しかったことは、ゆかりという3歳の子を、疫痢で死なせたことです。戦争中で医者も薬もなくて、何一つ手当てできなかった。チョコレート色の液体を吐きながら、私の腕の中で死んだ。その子が今も「あんな悲しみを二度とつくっちゃダメだ」と私の尻をたたき続けて、反戦平和運動に力を尽くさせているんだ。

今の日本を見ていると、どうしてこんなにつじつまの合わないことばかりが通る世の中になったかと思うな。私は日本人とか日本国は、戦争ではよその国に攻めて行って大きな過ちを犯したけど、本来は小さな島国の中で、ないものを補い合い、助け合いながら生きてきた、心の温かい融通の利く国民だと思ってきた。

何よりも資源がないので開拓魂の旺盛な人間の集団で、自分はその民族の一員として、勇気と誇りを持ってきた。しかし最近の日本人は、何かというと人に頼る。思い通りにいかないと他人の責任にする。かつての心に戻って、自分は人間だからこれをやる。人間だからこれをやらない。そういうけじめをつけて生き直さなきゃいかんじゃないかと、痛感しているんです。

自分にも言い聞かせているけど、中途半端なことはするな。迷ったらやめろ。やろうと思ったら死に物狂いで頑張る。奇跡なんてない。奇跡は自分でつくる。そう思って生きれば、日本社会はみるみる変わると思うんです。あきらめるな。やろうと思ったらあきらめることをあきらめなさい。そう生きようじゃないですか。

私は90歳以降は、1年ごとに生きるのが大変になった。それでも、頭だけはしっかりしている。年をとればとるほど経験と知恵は重なる。それを生かしていける。死ぬ時が人間てっぺん。今もそう思っている。

「君は俺が好きか。俺は君が好きだ」

２０１５年２月６日

１００歳になって、祝いの会をやろうという誘いは全部断ったんですが、代わりに「１００歳のつどい」というのをやったんです。祝ってもらうのではなく、私が、これまでお世話になった人に感謝する会です。友達、仲間にお礼が言いたかったんです。

そこで一人の男の話をしました。信夫（しのぶ）韓一郎という先輩記者のことです。私より15歳年上ですから、もうとうに死んでいます。仲良く何回も会ったかというとそうじゃないの。覚えているのは三つの出来事しかないんです。

一つは、太平洋戦争が始まってジャワに朝日新聞の特派員団が組織されたとき。キャップが信夫で私は一記者。3万人の日本軍団が台湾から1カ月もかかってインドネシアに攻めにいった。その間、各社の特派員もいて、たいていみな同じ食堂で昼食をとっていた。

ある時そこに、陸軍中尉が来て「新聞記者どもがここにいるのか」と言ってギラギラの軍刀を振り回すんです。100人ばかりいた客がみんな逃げていった。気がついたら残っていたのは信夫さんと私だけだった。それが一つ目。

それからジャワに行って彼が支局長。ジャワは暑いから彼は汗をだらだら垂らしている。記者が原稿を書いて持っていくと、彼はつぶやくように言ったんです。そして若い記者が熱心に書いた原稿をびしょびしょの体で読んじゃいかんなって。そして水をかぶってきて、きちっとした姿で読んでいた。そして感想をしゃべった。これが二つ目。

半年したら信夫さんは転勤だ。支局に誰もいないときに突然来て大声で「むの君、君は俺が好きか。俺は君が好きだ」って。つきあったのはこれだけですよ。たったこれだけの中に、私にとって、人間のつきあいの大事なものが現れているんです。

それは何かというと、脅迫には屈しないという、ジャーナリストの鉄則を守ったこと。他人の労働を大事にしたこと。好きです、嫌いです、やります、やりませんという動詞を堂々と大きな声で言ったこと。それらを信夫さんはやってくれた。戦後に朝日新聞の重役になっても、豆新聞をやっていた私をバカにせず、戦後の新聞をどうやって本来の姿に戻すかと一生懸命話しました。それが友なんです。

黙っていれば何のつながりもない中で、何かの機会に心と心の結びつきが生まれる。職場の同僚だから、労働組合のメンバーだからという人間関係とは違うの。ある意味では、親子や夫婦や親戚とのつながりより深い意味を持つ人間関係です。

それは、人間としてお互い努力しているから生まれるんじゃありませんか。1対1できっちり敬い合う。尊敬し合うことがすべての始まりなんだと思いますよ。

2015年3月20日

敵だからこそ「残そう」

ヘイトスピーチや過激派組織「イスラム国」（IS）や今の日本の政治状況を見ていると、言っておかないとならないと思うことがあるんです。その話をさせてください。

私が秋田県横手市で週刊新聞『たいまつ』を始めて16年たったとき、一人の若者が我が家にやってきた。秋田出身で、東京で始めた広告会社の仕事で100万円もうかったから、むのさんの本を出したいと。

それで、あれを書いたんです。今は岩波現代文庫に入っている『たいまつ十六年』です。1964年の東京オリンピックの前の年だったな。

彼がつくった「企画通信社」というのが出版元でね。売れないだろうと思っていたらえらく評判になって、増刷までした。

そのときだったんですよ、横手の市長だった佐々木一郎と議長だった斉藤万蔵と商工会幹部だった前沢純治の3人が「むのが本を出したというからお祝いをやってやる」と言ってきた。

私の週刊新聞『たいまつ』は反体制で、東北の片田舎では「アカだ」と言われていた。「祝ってやる」と言ってきたのは、町を動かしていたボスたちだ。行政と経済を握っている徹底した保守の権力者たち。びっくりしちゃったわけよ。

3人が呼びかけて15人が集まった。ほかの人も、1人を除いて、オラを敵視していた保守の人間だった。アカを祝おうとクロばかりが集まって。

料亭の100畳敷きの大きな座敷でやったんだけど、酒を飲んでへべれけになるだけで祝辞も何もない。オラは酒飲めないものだからなんだこれはと。30分もたって座が乱れてきたとき3人の前に行って「あんた方、保守のボスが、頼みもしないのに何で出版祝賀会をやってくれたのよ」と聞いたの。3人が同じ言葉を言ったんだ。

「『たいまつ』新聞は、町を支配している我らの敵だ。だからつぶすわけにはいかない」って。おもしろくねか。敵だ、憎いぞ。だからそれに負けまいと自分らも頑張らないといけない。だからつぶすわけにはいかないと言うわけだ。

たいしたもんでしょ。結局、『たいまつ』に広告を出してくれたのも彼らだ。それで新聞は続いた。

これなんですよ。これからの世界で大事にしないとならないのは。敵に学ぶです。

今は敵だからつぶせ。意見が違う者は排除しろ、でしょ。ネット右翼とかブログ炎上とか言いたい放題。敵から学ぶための道具でもあった言葉が、人の悪口を言うだけの道具になっている。言葉がこれまで、そういう無責任な道具であったことはないんだ。言いたい放題では、言葉を滅ぼすだけではなく人間を滅ぼすんだ。

今の世界に必要なのは「敵だから残そう」という言葉だな。これを合言葉にしていこうじゃないの。

本心を見えないように隠した安保法制

2015年6月5日

安倍内閣が閣議決定した安全保障関連法案の内容が、「国会議員の妻も全然わからなかった」と麻生太郎財務相が言ってましたね。分からないでしょうね。存立危機事態とか、重要影響事態とか、説明している本人たちは本当に分かっているのか、と疑っちゃうね。

かつて、自分の本『詞集たいまつ』に「ニセモノはみんな仰々しい。ホンモノはみんな素朴だ、ひっそりと」って書いたんだ。その言葉を思い出しますよ。物事を複雑で難しくすればするほどウソが入り込めるようになる。正体を見せない。腹を見せないというのが権力が民衆を支配するとき、昔から用いてきた手ですからね。

そんなもんだから、名前一つとっても合意が得られない。政府が「平和法案だ」と言っても、社民党の福島瑞穂議員は「戦争法案だ」と言う。私は福島議員の呼び方が正当だと思うな。これまでの日本の平和への姿勢の大転換ですから。

戦後70年間、「使えない」としてきた集団的自衛権を使えるようにする。どの国の戦争に対しても「中立」的だった立場を捨てる。政府が勝手に動けないようにしてきた「自己規制」もやめる。そう理解していますから。

それを実現するために安倍さんは段階を踏んで、ものすごく周到に準備してきましたね。最初は、アベノミクスでしょ。あのときは景気があまり良くないし株価も安定していない。そこで、企業の生産活動が盛んになるように取り組んだ。

それである程度の人気が出てきたら、積極的平和主義でしょ。いかにも戦争とは無関係な印象を与えて、戦争への国民の抵抗感を薄めていった。そして特定秘密保護法です。アメリカとのつながりを深めるためだけど、「国家の秘密を守る」という言い方で反対できないようにしたわけでしょ。

そして、集団的自衛権の解釈です。説明の中で「日本と密接な関係にある他国が武力攻撃され、日本の存立が脅かされ、国民の権利が根底から覆される明白な危険」とか「日本の存立を全うし、国民を守るために他に適当な手段がない」とか、いろいろな言葉をたくさん使うじゃないの。

繰り返しますが、私は長く言葉の仕事をしてきた人間として、誠意をもって正直になればなるほど、言葉は簡単になると確信しているんだ。あれこれ言っているときは本心を隠しているときか、自信がないときだ。本気になればなるほど簡単な言葉になる。

その確信から言って、今の安保法案はダメなんです。平仮名で簡単に言えるまで議論をする必要があるんです。それができなければ、いっさいがご破算です。

安倍発言と「イスラム国」人質

２０１５年２月20日

過激派組織の「イスラム国」を巡る問題で一番強い感想は「ああ残念だな、俺の願いはかなわなかったな」です。イスラム教徒は日本に対して好感を持っていたんです。それは日本の大事な財産だと思っていたんですが、その関係が消えてしまいましたね。

「イスラム国」の機関誌ははっきりと「傲慢(ごうまん)な日本政府に恥をかかせるのが目的だった」と書いているね。平和主義の日本は、標的として優先順位は高くなかったのに、安倍（晋三）首相がエジプトで、「イスラム国」と戦う周辺国家に2億ドルの支援をすると「軽率な約束」をしたために標的になったと書いているでしょ。

安倍首相はわざわざ、激しく対立しているど真ん中に行って、敵対するようなことを勇ましげに言った。同時に、国会やテレビで「国民の生命財産は国家が守る。その最高責任者は私である」と言っている。この二つの言葉がどうして同時に出てくるのか。ここが私にはわからない。

本当に国民を思い、日本国を思っての行動なのか。政治家として手柄をたてようとしたのか。検証が必要でしょう。それと、国民の生命を守ると言ったけどできなかった責任はどうとるのか。そこら辺もしっかり検証しないとだめだな。

新聞社の世論調査で、海外の危険な地域に行って、テロや事件に巻き込まれた場合、最終的な責任は本人にある、という意見に、その通りと答えた人が多かったでしょ。「イスラム国」の人質事件で、2人が死んだのは自己責任だからしょうがないという意味ですよね。これでは屍（しかばね）にムチ打つようで国民同士の連帯が何もないじゃないの。日本人ってこんなに冷たい人間だったのかと思ったな。

自己責任というのは、当人が言うことであって他人に言われることではない。第三者が「おまえの自己責任」だなんて批判もできないんだ。

私は戦場などで、死を覚悟したことが10回くらいある。いずれも、雇った新聞社や国家の責任だとは毛頭考えなかった。自分の命に対して納得するかしないかは自分で決めなきゃいかんのです。

有志国連合を増やして力で押さえつけようとしても解決にはつながらない。被害者が増えるだけで、どんどん憎しみが増す。どんな兵器をもってしても止められない。止められるのは対話だけなの。

ヨルダン政府にとらわれていた女性の死刑囚がいたでしょ。あの人を釈放したらどうなったのかね。「あんたたちは殺したけど、こっちは助けた。あんたたちはこれからどうしますか」と「イスラム国」に聞けたでしょ。対話の始まりだ。

日本政府はまず、日本人2人の遺族に対して「そうやりたいんですが」と理解を求める。そしてヨルダンに「不幸なことに日本人2人は殺されたが、女性を解放しましょう」と働きかける。それができるのが日本なんだ。そういう動きこそ、積極的平和主義と言えるんじゃないですか。

2015年3月6日

表現の自由、伴う責任

昨年末から今年に入って「表現の自由」の問題がクローズアップされましたね。

北朝鮮の金正恩第1書記暗殺計画を描いたアメリカの娯楽映画が第1弾で、フランスの週刊新聞の風刺画が第2弾。多くの人が、表現の自由について考えたんではないですか。

まず言っておきたいのは、表現の自由の問題は、国際裁判所に、ここまでなら許される、ここからはよくない、というように審判をしてもらう性質の問題ではないということです。自由とは規制がないことですから。

ただし、責任は伴います。表現したことによって生じたすべてのことは、表現者が負わないといけません。フランスの新聞が、表現の自由だと思ってイスラム教をちゃかすようなことをやったんだから、そのことに対する全責任は新聞社が負わなければならないんです。

私もしばしば、表現の自由という言葉を使うけど、この言葉の甘さで、自分で自分をだましちゃいかんということなんだ。

辱めを受けたと感じた人たちが、抗議をすることも自由なんです。権利と言ってもいいでしょう。人権の尊重は、報道の現場でも最も大事な道しるべじゃないですか。

人間が人間を不当に辱めることは許されない。それぞれの人権を敬い合わないといけない。最も素朴な心得だけど、報道の仕事をする人は、特に心がけなければならないことです。

それにもかかわらず、フランスの新聞やアメリカの映画は、ああいうことをした。その理由は何かと考えれば、読者や観客をあっと言わせて自分の商売を成功させようとしたとしか、私には思えませんね。

だからといって殺人を許す気は毛頭ない。それは犯罪ですから。それでも表現者の側は、そういう犠牲が起こり得るということを考えておかないとだめだ。人は見ず知らずの誰かに、辱めを受ける理由はないもの。

私はこういう出来事をなくすための一つの手として、「比べる」ということをやめよう、と提案したいんです。あいつよりも上だとか下だとか。AさんとBさんはどっちがいいかとか。そうして優劣をつけて区別する。それが差別になり迫害につながる。

人それぞれに能力の差があったとしても、一人ひとりが同じように大事な人間なんだから。それを声高に「表現の自由」と言って、劣っているものとそうでないものを区別したり、その差を強調してみたり、違うものを笑いものにしてみたりして辱めを与えている。いき過ぎていますよ。

比べることをしない。これが人間のモラルにならないといかんのじゃないかな。

２０１３年５月24日

慰安婦と軍

従軍慰安婦の問題は、今後も尾を引くでしょうから、言っておこうと思います。戦地で彼女らにインタビューしているので、それらを伝えておく責任があると思いますので。

慰安婦誕生のきっかけは、１９３１（昭和６）年に満州事変から始まる日中戦争です。現地に行った兵隊の道徳が乱れて、物を盗む、強姦(ごうかん)して殺す、火をつける、とひどいことになっていた。当時は、戦場で女を辱めるのは男の特権だと思われていたんです。

そこで軍部は41年1月、綱紀粛正で「戦陣訓」というのを出すんです。「盗むな」「殺すな」「焼くな」の「三戒」を徹底させようとした。それを書いた物を戦地に行く全部の兵隊に配った。私も従軍記者で行くときにもらいました。

だが守られなかった。私が行ったジャワでは、現地の女性を辱めたとして6人が、

42年のはじめまでに銃殺されました。戦死すると留守家族に「こういうことで死にました」と手紙を出すけど、「この場合どう書いたらいいだろう」と新聞記者のたまり場に軍人が相談にきてわかったんです。

それからしばらくして、町に慰安婦がやってきた。42年5月です。朝日新聞の現地支局に問い合わせがきたの。日本から女性がやってきて夜中になっても三輪車に乗って騒いでいる。どういうことかって。

行ってみたら慰安婦だった。一人1円50銭だ。取材でもお金は必要だって言われて払った。鬱積（うっせき）した悲しみを酒を飲んではらしていたんだ。その後も何度も話を聞いた。

朝鮮の女性5、6人に男が一人で1グループ。それが何組もいた。日本の女性もいて、それは将校担当だった。だまされて来たのか、自分で来たのかわからなかったが、女性たちの多くは「お金をためている」と言っていた。夫の写真を持っている人もいた。稼いでいたことは確かだった。現地で聞いた範囲では、軍の強制連行はなかった。

ただ、そこに行くには軍用船に乗るしかない。乗るには軍の許可が必要だった。軍は、軍事作戦の一環として必要としないものには許可しなかった。

要するに、どう取り繕おうが、軍が絡んで慰安婦を戦場に連れてきたことは否定できないんだ。強制連行など表だったことはやらず、全部陰に隠れ、幽霊みたいな存在で業者を動かしていたということでしょう。

慰安婦は、日本軍だけじゃなかったのは本当でしょう。でも「あの国だってやったのに俺ばかり悪くいわれるのは不満だ」というのはお粗末すぎる。「そういうことを避けられない戦争そのものをなくさなければならない」とつなげないと人類の恥でしょ。

2013年11月15日

ヘイトスピーチ

外国人を侮蔑するヘイトスピーチが収まらないね。これは、明治時代に政府が意図的に作り上げたものだと思いますよ。

子どもがどんどん生まれた時代。耕地面積が狭い日本は土地が欲しいわけだ。自分のものにできなくても働きに行く場所が欲しい。狙ったのは朝鮮半島や中国、シベリア。そういう状況の中で、相手国の人を卑しめる風潮が生まれた。それらの国に進出したいから「戦をやっても相手は弱いぞ」と国民に思わせようという狙いだな。

大正4（1915）年生まれの私が子どものころ、明治生まれの大人たちはその国の人たちを何て言っていたか。差別語・侮蔑語だけど、歴史の事実だから証人として言うけど、中国人のことは「ちゃんころ」。ロシア人は「ロスケ」って言っていた。これは戦の準備なんだな。

そして彼らは日清戦争や日露戦争を戦った。そのころ朝鮮人に対する蔑称はなかった。朝鮮人のまま。すでに併合していたから、言葉で卑しめる必要はなかったんでしょう。でも、朝鮮人というだけで人間でない扱いをしていた。

私が育った秋田県の片田舎まで、朝鮮人参売りの人が来た。歌うように売り歩いていた。98歳の今でも歌えるよ。「ちょうせんにんじんろ〜。えんばらえんざんなっとうろ〜」って。

どんな意味かわからないが、哀愁を帯びていてね。こんな遠くまで売りに来て、難儀しているなって思ってついて歩いた。外国人は珍しい、もっと知りたいという気持ちで、侮辱する気ではなかったな。

ロシア革命を逃れてきた白系ロシア人もいた。私が通う小学校に布を売りに来ていた。ある冬、その人が来たら、子どもたちは「ロスケ、何でくるんだ」って雪玉を投げつけた。子どもも感化されていったんです。その人は悲しそうに帰っていった。

その日の昼、全校生が体操場に集められた。一人の先生が「休み時間にお前たちは何をしたか。あんなこと人間としてやるべきことじゃない」と厳しい声で怒った。たしか大川という、軍国主義を称賛する先生だった。真っ先に「ロスケなんて弱いぞ」と言いそうな先生だっただけに、一層子どもの胸に響いた。

そういうこともあったけど、ともかく小学校時代に、外国と仲良くしましょうなどという言葉を聞いたことはなかった。言われたのは「義勇奉公」「忠君愛国」。他国を支配しようとする言葉です。

他国を軽蔑するということはどこに向かうのか。そういう歴史を考えると、今なぜヘイトスピーチが出てきたのか。深く考えないといかんのじゃないですかね。

優越意識が差別を生む

２０１３年12月6日

ヘイトスピーチは外国人に対する差別だけど、日本人同士でもありますね。とりわけ東北地方に対しては。

私が東京の外国語学校に入ったころはひどくて、同級生から「東北の山猿が1匹紛れ込んでいる」とバカにされた。方言をバカにされて自殺した東北人の記事も新聞に載った。兵隊にとられれば「勇敢だ」とおだてられ、真っ先に最前線に送り込まれた。今はまったくないように見えるけど、まだ東北を低く見る意識はあると思う。今度の大震災の対応を、阪神淡路の時と比べると、そう思えるんだ。九州の炭鉱では東北はずっと、哀れな被害者だったかというと、とんでもない。九州の炭鉱労働者の問題に取り組んでいた記録文学作家の上野英信さんたちに言われて、恥ずかしい思いをしたことがあるんです。

全国から集まった炭鉱労働者が、仕事がきついといって東北に逃げ出す。そこが農村地帯だと、必ず追っ手に引き渡された。漁村に行った人は助けてもらえた。なぜそうなったのか。同じ貧乏人として助け合うぞという精神は農村にもある。

だから飯は食わせる。しかしそこまで。助け合う仲間ではあるが、縄張りの外の人だから、それ以上はしないんだ。

ところが漁業は海原が相手だ。縄の張りようがない。労働者として本当の連帯の意識を持っている。だから船の中に入れて隠した。そういう解説だった。

しかし海の先にも排他的経済水域という、国が張った縄がある。そこでは「ここは俺のものだ」「いや俺のものだ」と争いが起きる。エスカレートすれば戦争につながる。縄張りというのはそういう危険な芽を持っている。だからまず、この縄張り感情をなくさないといけないんだ。

縄張りの最小単位は個人でしょ。縄張りとは、自分たちの利益を守るためのもの。自分が作ったいい物を隣の人にまねされては損する。だから縄を張って、作る様子を隠した。

人類が誕生したころは、そんなことはしていなかった。力を合わせなかったら猛獣のエサになっちゃいますから。力を合わせていたからこそ、今も存在しているんです。支え合うのが人間の本質なんだ。

ところが高度経済成長時代になって、みんな、がむしゃらに働いた。おれは隣のおやじより金を稼ぐから偉いんだ、と人と比べて満足するようになった。優越感は人を見下す。そういう姿を見て子どもは育って、いじめやヘイトスピーチの社会ができた。

これじゃダメでしょ。エコノミックアニマルから人間の心に戻ろうじゃないですか。差別をなくす。それが、私が残りの人生で訴えたいことの大きな一つなんです。

憲法9条に「魂」を

2010年8月16日

8月15日になると、終戦記念日だといって、いろんなところでいろんな行事があるな。オラはああいうのはやりたくないな。特定の記念日をつくっても、命日みたいで、自己満足の行事にしかならないもの。

「九条の会」も、あまり評価しないな。そこに入会したことで平和運動やっているような気になっている人ばかりに見えるから。本気で戦争なくそうと思うなら、365日の「戦争反対」をやらないとだめなんだ。

それにしても、敗戦の時のオラたちはバカだったな。解放感が先に立って、この戦争は何だったのか。誰が何のために計画したのか。自衛権まで否定していいのか。

そういう勉強をやらなかった。憲法９条なんて当たり前だから放っておいた。それがよくなかった。

国家は、交戦権を持つことで一人前の国家となる。９条は、それを頭から否定しているわけだ。交戦権を持つな、武器も持つなと。日本国憲法と言いながら日本という国の存在を認めてないということになるのに、それがわからなかった。

要するに、勝った者が負けた者を無残にさばいた、日本という国への死刑判決だったの。だが同時に、軍国日本への死刑判決でもあった。人類が生き残れるとすればこれしかない、という太陽の輝きがあった。正と負が重なり合ったものだったんだ。

そのことについて我々は考えないとならなかったのよ。連合国から受けた最大の侮辱と、太陽の輝きの中で、私たちはおいおい泣きながら、死にものぐるいで、もがかなきゃいけなかったのよ。

その上で憲法９条に光を見たら、今とは全然違う状況になっていたと思うんだ。与えられたものではなく、自分たちで考えた生き方、思想が生まれ、それが本物として根付いていったはずよ。

そういうことをせず、最初から、美しいと言って、仏つくって魂入れずだった。９条は、本当に立派なものだ。でもそんなことだから、９条と正反対のことを堂々とやっているでしょ。軍人は一人もいない、兵器も一丁もないはずなのに、この通り。世界有数の軍事大国と言われるざまだもの。アメリカも、本当にいい憲法と思っているなら自分らもまねするはずなのに、それも逆。

「今度こそ世界を見返してやる。おまえらなんかこんな憲法作れないだろう」

そういう悲しみと怒りと決意の入り交じった9条に、これからでもしようじゃないの。

9条とノーベル賞

2014年11月7日

憲法9条はノーベル平和賞を取れませんでしたね。残念がった人は多かったと思うけど私はちょっと違うな。世界が注目したことはいいことだし、平和賞に推薦した主婦たちも立派だったが、大事なことを忘れているもの。

憲法の草案は、戦争で勝った連合国側が、参考意見として書いたものです。言い換えれば、ポツダム宣言を受け入れ、屈服した日本に対する連合国の判決文なんです。

その9条を日本は、広島と長崎に原爆を落とされた人類最初の悲劇の国だから、戦争をやらない平和国家になる宣言なんだ、と受け止めた。

もし9条が、そういうような、人類を希望に導く道しるべだと世界中が思ったとすれば、アメリカもイギリスも、それを採り入れているはずでしょ。でもやっていないじゃないの。戦勝国側は、まったく異なる理解をしていたということですよ。

9条の実態は、乱暴国家に戦争をさせないようにしたものなんです。戦争権を持つとされた近代国家としての日本への死刑判決だったんだ。

それを日本は、悲劇のヒロインと思っただけで思考を止めた。自分たちが戦争をやった乱暴な国家だったことには、思いを及ぼさずに。そこですよ、問題は。あの戦争は、日本が中国に攻めていき、真珠湾に攻めていって始まったものなんです。それに対する検証がないでしょ。

誰が何のためにいつ、あの戦争を計画したのか。戦場で日本はどういうことをやったのか。9条の精神を振りかざせばかざすほど、その2点を日本人自らが徹底的に追及しなきゃいかんでしょ。それをやらなかったから、慰安婦問題や中国との問題などが、今なお尾を引いている。

そこを考えれば、9条にノーベル賞をやるわけにはいかないのよ。条文はいいけど中身の伴わない、穴の開いた平和の理想なんです。今もらったら恥ずかしいですよ。ドイツはそれを、国家の責任だとして徹底的に裁いた。今でも続けている。それと比べれば恥ずかしいでしょ。

人間はしばしば過ちを犯すけど、だからダメなのじゃない。犯した過ちを徹底的に反省して、迷惑かけた人びとに全力で詫びる。そういうことをやることで人は立ち直れるんだ。それが欠けているからダメなんだ。

そういうことをした上で9条を守るのであれば、それは本当に光り輝いて、世界中で日本のまねをしようという動きが出てくるかも知れないんです。

ただ、日本が戦後70年、一度も戦争をやらなかった事実は重い。それが今後も続くのか。昨今の政治の動きを見ていると、分かれ目に来ていると思います。若い人たちが事実を調べ、明らかにしながら日本民族としてどう対応するのかにかかっているのです。

『はだしのゲン』閲覧制限はだめ

2013年9月6日

漫画『はだしのゲン』に関連する話をしますね。

もう随分前になりますが、東京で50、60歳代の女性が中心の勉強会に何年か通ったことがあります。そこの女性たちから、こういう要望があったんです。

兵隊だった自分の父や兄に、戦場で何があったか聞いても、いつも言葉を濁して教えてくれない。むのさんは従軍しているので知っているでしょうから教えてください、って。つらかったけど話しました。

実際に見たのは、女性が乱暴された直後の現場。止めようとした夫が下腹部を刺されて死にそうでした。これは連合国軍の仕業で、それ一度だけ。あとは兵隊や慰安婦から聞いた話です。

大勢の兵隊が乱暴したと言ってました。乱暴しようと家に入ると奥さんが子どもを抱えて包丁を持って「襲うなら襲え。近づいたらこの子を殺して私も死ぬ」という態度で「足が前に出なかった」と一人が言ったら「お前もそうか」と何人もが言ってたな。

悲惨なのは、家に押し入って乱暴して、証拠を隠すために女性を殺して家に火をつけた話。戦場に行って女を犯す、物を盗む、火をつけるというのは兵隊の役得だと言っていた兵隊が何人もいました。

そういう話を持ち時間の3分の1くらいまでしたところで、女性たちは「もうやめて。その先は聞きたくない」。

こういう残虐行為をやったのは、善良な市民と言われていた人たちです。戦場に行けばそこに身を置く誰もが、相手を殺さなければ自分が殺されるという恐怖の前に、3日もいれば人格が狂ってしまうんです。

日本に帰ればまた善良な市民。戦地でやってきたことはとてもじゃないけど口にできない。沈黙するしかないんですよ。とても娘や妹に聞かれて話せるもんじゃないんです。でもそれは、事実がなかったということではありません。

松江市教育委員会は、日本兵の残虐行為を読ませるのは青少年に悪影響を与えると判断して、『はだしのゲン』を市内小中学校の図書館で、自由に見ることをできなくしたが（その後撤回）、あった事実を隠してはだめです。歴史の事実なんです。万人のための歴史を学ぶ教材なんだから。

大人が「これは子どもは知らなくていい」というのは、事実から目をそらさせ、ごまかし、あったことをなかったことにするためが多いんだ。それは歴史的事実をゆがめることにつながり、戦争への反省もゆがめてしまうんです。

『はだしのゲン』がありもしないことを誇張したような本だったら、教育委員会が言い出す前に読者が葬っていますよ。人間の姿をまともに描いた物だから読み継がれてきたんですよ。

そういう本を、子どもたちはゆがんで受け止めはしないですよ。信じられます。ゆがんで受け止めるのは大人の方です。

社会が仲間意識をもつ新聞に

2014年9月19日

長野県で行われた「信州岩波講座」という講演会で話をしてきました。400人くらいあつまっていたのですが、終わった後の質問で、今度の朝日新聞の問題はどうなるのか、と心配する声が非常に多く聞かれました。従軍慰安婦と福島原発事故と池上彰さんコラムの三つに関する問題です。

質問は、マスコミ界全体が、真正面から自分たちの問題だととらえなければならないのに、事の本質がすり替わっておかしな方向に行っている、という心配や怒りのようでした。それで今回は、この問題について、これからどうすればいいかを話すことにします。

私は敗戦の日に朝日新聞を辞めた。「負け戦」を「勝ち戦」とウソの記事を書いて読者に届けてきた責任を取らなければならないと思ったからです。でも今は、あの時の判断は浅すぎたと思っています。

辞めずに残って、なぜあの戦争が起こったのか。なぜ止められなかったのか。本当のことを書く新聞だったら開戦の日や、南方で多くの兵隊が亡くなった日々をどう書いたか。そういう検証記事を書かなければならなかったな、と思ったからです。

今回、朝日の社長は「おおよその道筋をつけた上で、すみやかに進退について決断します」と辞めるような発言をしていますが、それですむような問題ではない。社長をはじめとして、報道の現場が死に物狂いで過ちを正すことが本当の対策です。それをきちっとやった上でないと、次のステップには進めません。

この問題を見ていると、他の新聞社が朝日の失敗をチャンスと見て販売合戦に利用しているように見えます。本来なら、他山の石として自社の姿勢を考えなければならないのに、情けないですね。

ジャーナリストとは何か。一番大事な任務は、社会の歩みに間違いがあったら正す。権力が隠そうとしていることを暴き出し、社会の動向について正しい方向に先導するということです。

それを、慰安婦問題の証言者の発言を「虚偽だった」と朝日が取り消したことで、政府などはまるで慰安婦問題がなかったかのような、あるいは日本側の過ちが軽いかのようなとらえ方をしようとしている。国連報告書の作成者は、虚偽証言とされたものは証拠の一つに過ぎず全体像を修正する必要なし、という趣旨の発言をしているのにです。原発問題についても、政府や電力会社は、対応に問題があったことには目をつぶり、そらそうという姿勢があるように見えます。

2・26事件が起きたとき、朝日新聞に軍隊が突入した。自由主義だといって憎まれていたもの。でも、時の総理ら大勢の政治家が殺傷された中で、社員は一人も危害を加えられなかった。それは軍部が、新聞社の後ろに大勢の国民が見えたからだと私は思っているんだ。読者が朝日を守ったんです。

それだけ読者と新聞社の間には、仲間意識があったんだ。一緒に新聞をつくっているという。投書がきても「愛読者」と書いてあったものな。今はただの「読者」になった。それを元の愛読者に取り戻さなければならない。そのためには今回の問題でひるんではだめだ。ジャーナリズム本来の役割に向かって、悪いことは悪いと書き続けないと。

当時の朝日の主筆と編集局長は、いつ右翼に襲われ倒れても、見苦しくないように毎日新しい下着に替えていたそうです。そういう覚悟で、徹底的に社会の役に立つ新聞になることをめざして欲しいと思います。

秘密保護法にはっきりと反対

2013年11月1日

北京で車が突っ込んで5人が死亡したけど、何が起こったのかさっぱりわからないね。まったく中国って国は都合が悪そうなことは隠しちゃうんだから、って思った人はたくさんいるんじゃないですか。でも、日本だって危ないんだ。特定秘密保護法案が成立すれば。

国会で、国民の知る権利は守られるかなんて盛んに議論されているでしょ。でも、戦争を生きてきた人間からすると、現実を知らない人の臨場感のない議論に聞こえるんです。法律ができちゃうと約束なんて吹っ飛んで勝手に動き出すんですから。

戦争中に国家総動員法とか国防保安法とか、戦争に勝つための法律ができた。それを破ったら捕まる。そんな怖そうな法律ができたぞ、っていうだけで国民は自己規制を始めたんです。

食糧が配給制度になった。隣はそれをちゃんと守っているか。闇で何かをしていないか。そういう監視し合うムードができていく。監視すればするほど、自分はいいことをしていると勘違いが生まれる。そして仲良かった隣組で仲たがいが始まる。協力しない者、生活に不満を漏らす者などを非国民とののしって排斥し出した。それがどんどんエスカレートする。国民同士が監視し合う社会は本当に冷たいんだ。本当に怖いんだ。

あのとき国は、法律を作っただけで、あとは国民が自ら動いて、そういう社会をつくっていったんです。国は強権発動もしたけど、それより自己規制の側面がずっと大きかった。

今度の法律でも、処罰の対象となる役人は自己規制をするでしょう。役所の中で監視社会ができるでしょう。そして国民に知らせなければならないことでもしゃべらなくなるでしょう。目に見えています。今の中国と同じです。

戦前の法律は、「戦争に勝つため」というはっきりした目的があった。しかし秘密保護法の目的はなんなの。アメリカの秘密が漏れないようにしろという要求に応えたんでしょ。それを日本のためのようにするから中身がぼやけて、国民は意味がよくわからなくなっているんじゃないですか。

秘密というのは、仲間に対してはしない。あいつには教えないでおこうというのは仲間ではない証拠です。わざと敵をつくるということです。安倍総理は積極的平和主義と言いながら逆行しているんです。

本当に人間が幸せに向かうには戦争がなく、人間が主人公の暮らしをつくることが一番大事なわけですよ。そのために、できるだけ秘密はなくすということじゃないですか。できるだけ事実を国民が知って、世の中のことを決めていく。そういう公開主義が原則でしょ。秘密保護法はそれと正反対だ。だからはっきりと反対だと言わないとならないんです。

はがきを政治家に出そう

2013年6月21日

私は1936（昭和11）年から敗戦までの10年間の新聞記者生活のうち、延べ5年間、朝日新聞で国会担当の記者をしていたんです。

当時のことを思い出すけど、軍部が威張った容易ならざる時代に、国会議員たちは命がけで論陣を張っていた。陸軍大臣に向かって「お前が間違ったら腹を切れ、おれが間違ったらおれが切る」なんて詰め寄って、戦争の動きを止めようとしていた。対決だった。

最近は国会に行っていないけど、伝わってくるムードはまるっきり違うものな。与野党を問わず、国民の希望のためとか人間尊重のためとか言いながら、口先だけだ。当選することばかりに気を配って、絶えず国民のご機嫌を取るように動いている。選挙で票を得るための聞こえのいい言葉だけ並べている。八方美人どころか百方美人だらけに見えるな。

たとえば、「靖国神社の参拝は個人の資格で、閣僚としてではない」なんていう言い方があるでしょ。あれはおかしな言い方ですよ。だって人間の生命は2個あるわけじゃないもの。それを私人と公人と2個あるように、都合に合わせて使い分けている。

参拝が正しいと思えばそう主張すればいいんだ。それを、自分の本心は違うけど、問題が起きるといけないからと発言を変える。そういった、言い方だけで逃れようとする世渡り上手な例が目立つでしょ。それじゃ国会議員とは呼べない。国会サラリーマンだ。戦前にはいなかった。

本心を隠している政治家を、国民はどうやって選べばいいのよ。これほど政治が国民から離れた時代はないんじゃないですかね。

そうなったのは、我々に一番の責任があるんだ。我々が、政党とか政府とかにサービスしてもらうことに慣れ過ぎた。主権者ではなく、お客様になっちゃったんだ。このままじゃ日本の政治状況はよくなるはずはない。

我々はどういう政治を求めているのか。そのために自分は何をすればいいのか。家庭や近所の人や会社など、日常の生活の場で話し合ってみる。そうやって、政治を自分自身の問題に引き寄せて考える。

そして必ず投票にいく。戻ってきたら、投票した人に、はがきを出す。「俺はお前に投票したから、お前はこうやれ」と、自分たちの考えをそこに書く。5万票とった人には5万通が届く。その量を彼らは目で見る。そうすると、国会サラリーマンだったのが政治家に育っていくと思いますよ。我々が育てなければダメなんだ。

でも今は「先生、お願いします」でしょ。こっちが主人公になってみんなではがきを出しましょうよ。

憲法論議とマジック

2014年5月16日

政治の世界を見ていると、3分の2の賛成とか過半数とか、数字が出てくるでしょ。あれは一種のマジックですね。

たとえば憲法を改正するには、国会議員の3分の2の賛成が必要だとなっている。言い換えると、たった3分の1の反対で改正できなくなる。そんな少数の意見がまかり通っていいのか、というのが安倍総理の主張ですよね。

この言い方にマジックがあります。

2013年7月の参院選を見ると、全国の平均投票率は52・61％です。100人の有権者のうち52人しか投票していない。この人たちの3分の2というと35人です。有権者の過半数にも満たない、たったこれだけの有権者から支持された議員の賛成で、国家の基本法を変えられるということなんです。このことがまずおかしいのです。

ではどうするか。国民投票で決めようということになる。過半数の国民が賛成すれば憲法を変えると。しかしここでだ、このときの過半数は、投票者の過半数ではなく、有権者の過半数にしないとなりません。そうでないと、国民の意思とは言えないですよ。

時の内閣が、仕事をやりやすいように数字を持ち出して、都合のいいように解釈をするのは、憲法に対して失礼なことです。憲法の解釈は総理が決めるのではなく、国民の意見によって行わなければいけないんですから。

それが無理だと言うなら、少なくとも国民投票の投票率が8割に満たなかったら投票は無効とする。8割に達するまで何度でもやり直す。そうしないとなりませんね。

選挙も同じです。最近の選挙の多くが5割に満たない投票率でしょ。細川護熙元総理ら16人もが立候補した都知事選でも46・14%。3人しか立候補しなかった埼玉県知事選なんて24・89%。千葉県も神奈川県も同じようで、たった3、4割の投票率で当選者が決まっている。その人たちがいろいろと決めていく。おかしくないかい。

こっちも、有権者の8割が投票所に足を運ばない選挙は無効にする。投票率が5割に達しなかった選挙は、立候補した全員が次の選挙には出られない。投票したい人はいない、と多くの有権者に思われているんだから。それを8割に達するまで繰り返す。

やり直し選挙が続くことで予算案が滞ろうがしょうがない。社会生活に影響が出るかも知れないが、有権者にも「棄権する責任」を負ってもらわないとなりません。

それくらい、今とはまったく違う大改革をやらなければ政治はよみがえらないと思いますね。数字のことだけを議論していると、ことの本質を忘れてしまいますよ。

「領土」は所有せず利用し合う

2012年9月7日

尖閣諸島と竹島と北方四島と、領土問題がこじれているね。この問題を考えるときは、国家の論理と国民の論理を区別して考えないといけないんだ。

国家の立場で考えれば、現に見られる通り、「これは歴史的にも法律的にも我々のものだ」と両方が主張するわけです。それでは折り合いのつきようがない。

これを裁くために国際司法裁判所（ＩＣＪ）があっても、両方から提訴されないと裁判は始まらないというから、これも役に立たない。

そうして両国が言い分を通しつづけると、妥協の余地がないから、武力行使になる。それ以外の可能性はないでしょ。そうして始まった戦争・紛争の例は現代でもたくさんあるわけですから。

しかし、地下資源があるとはいえ、何人住めるかわからない小島のために、両国が爆弾をぶつけ合い、たくさんの人びとが死ぬのはばからしい話でしょ。そうさせてはいけないでしょ。

問題は国境ですよね。人間が勝手に、地球を200程度に分割した。そこに国境をつくった。その結果が自分たちを不幸にするなんて許されるわけがないんですよ。そんな国境を抜きに考えないとならないんです。そのためには国家の論理を捨てなければダメだ。国家の主権者である国民の論理で考えるんです。

私は、そこに住みたいと言うのなら、両方が行って住めばいいんじゃないの、って思っているの。地下資源が出るのなら共同で会社をつくって分け合って利用すればいいんです。それが本来の地球のあり方。それしかないんだ。所有ではなくて利用し合う。それが人間生活を豊かにする。そのために国民同士が語り合う。そういう考えにならなくちゃいかんでしょう。

本来は、そういうことをやるのが国際連合なんだが、全然役に立たないものな。「国際」は、「国家主義」の否定、克服だと思っていたが違った。単純に「国」の「きわ」「へり」だった。

国家主義のへりとへりをすり合わせて、妥協させられればいいけどそれもできない。シリアに行っても、結局紛争解決には何の役にも立たずに撤退した。国連なんてやめて、「世界連合」とか「人類連合」に変えるといいんですよ。

ニューヨークの国連本部に行ったことがあるけど、こんな町の中で何をやってもダメだと思ったな。中国の大草原の真ん中に、どーんと何かをつくって、世界中の若者がそこに集まって、歌ったり踊ったりしながら話し合うのがいいな。そこでは、主権者のいい判断が出ると思うよ。

近隣が納得してこそ「世界遺産」

2015年6月19日

「明治日本の産業革命遺産」が、世界遺産にふさわしいと、ユネスコ（国連教育科学文化機関）の諮問機関が登録するよう勧告しましたね。これに対して韓国から反対の声が上がった。中国も同調した。自然遺産とは違って文化遺産はいろいろな要素があって、一筋縄では行かないようだな。

たとえば英国の大英博物館には、かつての植民地から持ち込んだ文化財が大量にある。だから「泥棒博物館」と言う人までいる。それでも、世界三大博物館として受け入れられている。

だが、今回の産業革命遺産はすんなりとはいかない。どうしてでしょうね。私が思うに原因は一つ。日本が戦争の清算をしていないからですよ。

核不拡散条約（NPT）再検討会議で、世界の指導者らに広島・長崎の訪問を促す日本の提案が、中国の反対で潰れたでしょ。これも同じ。普通に考えたら、世界中の人が原爆投下の被爆地を見た方がいいに決まっているのに、「特定の国が歴史をねじ曲げる手段にしようとしている」って反対している。加害者のくせに被害者になろうとしているという意味でしょ。

そういう日中韓のぎくしゃくした関係を心配した米国の良識ある大勢の日本研究者たちは「日本の過去の過ち」について「偏見なき清算を」と声明を出した。仲間の国の人からも「もっとしっかりしろ」と言われたようなものですから、情けないことですよ。

世界遺産について言えば、これを解決する手は一つだ。日本と韓国、中国とで、とことん語り合うのです。政府間だけの協議じゃなく、民間も交えて、アジアの一角で起きた産業革命が、アジア全体の歴史とどういうつながりがあるのかを共同研究するんです。

ただし書きがつくようなものではなく、きちっと一体感が生まれるような結論が出るまで徹底的にやる。朝鮮人が大勢連れてこられて働かされた場所ですという事実も書けばいいんです。それができるまで一度申請を取り下げる。

今年がだめなら来年でもいい。2年遅れてもいいじゃないの。今後のためにアジアを励ます一つの材料になると思ったら、韓国にも一緒に推薦してもらう。それができないなら諦めればいいんです。

どこで暮らしていても、隣近所が仲良くしていないと、穏やかに安心して暮らせないんだ。おいしいおかずができたら「これ作ったよ。食べて」って持っていけばいいんだ。それで安心できる地域ができていく。

日本と韓国や中国は一番の隣近所でしょ。そういう関係がないから「あいつまた何かをやりはじめたな」と警戒される。今回は、仲良くなれるチャンスです。歴史的経緯から言って、先におかずを持って行くのは日本です。とことん、共同研究を進めましょうよ。

東京五輪で試される日本

２０１３年10月４日

東京オリンピックが決まってみんな喜んでいるね。私は日本は落選すると思っていた。なぜかというと日本は、言葉が立派でも実態が伴わないことが多いあやふやな国に見られているからです。戦争へのけじめのつけかたなどが尾を引いているんでしょうね。

東京外国語学校の学生のころにスペイン語の作文で「半信半疑」と書いたら、スペイン人の先生に怒られた。１％でも疑っていれば、それは疑うという言葉しかないんだ。それを、半分信じているなんて言い方でごまかしている。結局どっちに転んでも責任を持たないための言葉が日本語には多いって。

そういう、「あやふやな国」に加えて福島原発の汚染水漏れの話もあったから、だめだと思ったんだ。

ところが安倍総理の英語の講演で情勢を回復した。見事な英語でした。あやふやな表現は一つもなかった。汚染水漏れについて、日本政府が全責任を持って安全を保証すると。同時に被災地の復興も進めますと訴えた。

国会でだったらきっと「安全に最大限の努力をします」と言ったと思うが、それが「安全です」だもの。これは半信半疑ではないんだ。100%なんだ。その明確な表現で世界を納得させた。

これは、安倍総理個人が世界にした約束ではなく、彼が日本人を代表して世界と交わした約束なんだ。万一いい加減な対応をして、日本人は当てにならんという評判をとったらもう取り返しのつかないことになる。日本人が、世界中から見つめられている。日本人が試されているということなんだ。

そうとらえなければならないのに、これで経済効果が何兆円とか、銭もうけの話しか聞こえてこない。世界平和も何にもない。

我々は見物人の目で見ていちゃだめなんだ。総理が言った原発対策と震災復興を、主権者として絶対にごまかしを許さないという姿勢で取り組まないとならないんだ。大震災から2年半もたって、まだ帰る場所もないし家族もバラバラというこのざまを変えなきゃ。

そして、オリンピックは何のためにあり、何のためにやるのか。それが現在の世界情勢とどう絡み合うのか。そこを考えないとならない。

日本に決まったのは安全安心な国だというのが大きな理由でしょ。それは、平和じゃない国が世界中にたくさんあるということだ。そのことの再認識をまずする必要がある。

私は、第3次世界大戦を起こさせないような、そういう本当の戦争防止のくさびを打つ効果がなければ、東京オリンピックの意味はないと思っています。それができるか。くどいようだが、日本が本当に試されているんです。

第2章　戦争とはどんなものか

対立を一対一
すると戦争だ
むのたけじ

人間ゆがめた徴兵制度

2012年8月9日

8月15日が近づいてきました。この日を「終戦記念日」とか「敗戦の日」と呼ぶ人が多いですけど、私は何とも呼んでいません。特定の日を記念日にするのはお祭り騒ぎに似ていてそんなことで世の中は変わらないもの。毎日の暮らしの中でああいうばかげたことは二度とやらないと反省しなきゃいかんでしょ。

私の世代は20歳で徴兵検査を受けた。戦争が始まるとその年齢が徐々に引き下げられた。自分で志願する少年兵は15歳くらいから採るようになった。この徴兵制度が人間を大きくゆがめていった。

軍隊にあるのは命令と服従だけです。白も黒もない。当時の合言葉は忠君愛国でしょ。義勇奉公。天皇のために命を捨てるのが一番いい国民。そういうムードに若者を引きずり込んでいく。

優等生はそれに一番染まりやすいんですよ。私は自分で反骨精神があると思っていたけど、知らないうちに国家からほめられる立派な人でなければだめだ、と思っていたものな。

しかし身長が152センチしかなかった。155センチないと徴兵検査で甲種合格にはなれないのよ。俺は3段階目の丙種合格。すぐには兵隊になれないダメ人間。「お国のために働けない親不孝者」って、周囲からさんざん言われた。

そうやってゆがめられた若者が、戦争が終わって自由になってタガが外れる。本当の戦争の悲しさ、苦しさを味わった人はみんな死んで、生き残った人間はその喜びで、戦争に対してまともに反省もしないし裁きもしなかった。何にでも妥協しちゃったのよ。俺もそうだ。

70歳になったときに、中学時代の同級会をやったんだ。25人くらい集まって近くの温泉場に1泊した。酒が入ってしゃべり出すと、まず話題になったのは、もらっている軍人恩給が多いか少ないかだった。

要するに、自分たちは国に刃向かえずに戦地に連れていかれて非常な苦しみを受けた。そういうひどい目にあわせた国家からむしり取ってやると。誇りなんてない。

そういう人たちが、軍人恩給をたくさんもらうための代理人として政治家を選んできた。政治家はそれに応えて議席を守ろうとしてきた。そういう時代が長く続き、その姿を見て育ったのが今の60、70歳代だ。そしてその子の世代が、今の30、40歳代でしょ。

ようやく、徴兵検査の影響がない世代になった。過去と決別した新しい動きも出てきているようにも見える。政党が分裂して、少数政党がたくさん出てきたのも、そういう流れかも知れません。まだどうなるかわからないけど、変わってはいくでしょう。

戦争を廃絶した人間主義へ

2010年2月3日

経済の行き詰まりは、今年も続くでしょうね。資本主義そのものの屋台骨がぶっ壊れて、取って代わるものが見つかっていないんですから。代わるものがあるなら、人間主義でしょ。

そういうことを以前、この欄で言ったら「それは頭の中の問題で、社会の仕組みとつながっていなければ空論になる」という趣旨の意見をいただいた。まったくその通り。だけどこれからは既成概念を乗り越えないとダメだ。江戸時代からがんじがらめのしきたりがある大相撲だって、貴乃花がそれを壊して理事選で当選しちゃったじゃないの。相撲界は、なぜこうなったのかだ。

当然、資本主義が自滅し、社会主義もソ連や中国がしくじったこともしっかりと考えなきゃいかんでしょ。それを「あれは悪夢だった」とすませている。それじゃだめよ。

私が思うにそれは、自分のことを自分でやらなかったからです。「民衆の解放」というのは、権力者が民衆を解放してやることだった。民衆自らが自分を解放するために動いたわけじゃなかったんだ。権力者は「みんなを幸せにしてあげる」と言い、人民は「してもらう」。それじゃ「物ごい」じゃないの。

社会は人間がつくっているわけでしょ。人間と人間がしっかり結び合う力を持っておれば、こんなことにならなかったはずです。だから人間主義、人間に戻れと言った。どういう社会体制にするかはそれからよ。

そういう点で、この間の鳩山（由紀夫）さんの施政方針演説の「いのち、いのち」というやつな、あれはよかった。「いのち」というのは人間という意味だ。あの演説は、明治以降では輝く演説として記憶されるだろうな。あとは本当にやれるかだ。

人と人が結び合うために必要なことは「自主じりつ」。自ら立つのと、自ら律する。自分で自分をコントロールして、自分の手で鎖を解きほどかなくちゃ。

そのために、問題があったらとことん考える。これが難しい。考える時間を、テレビを見ることなどで紛らわしてしまう。もしくは、ある程度まで考えると分かったフリをする。そういうことを繰り返してきた。そこを断ち切らないと。
人間主義の原点は、戦争をやらせないこと。核廃絶もいいけど戦争廃絶。足もとで人を殺しておいてできた社会が、いいはずないよ。

2009年8月11～15日

戦争とは何か

1945（昭和20）年8月15日。むのたけじさんは「負け戦を勝ち戦と書き、戦争遂行の手助けをした責任を取る」と朝日新聞記者を辞めた。以来、「戦争絶滅」に命をかけてきた。あれから64回目の8月。戦争とは何か、を5回にわたり聞いた。

――8月15日を何と呼んでいますか。

何とも呼んでない。特定の日に名前をつけたって、お祭り騒ぎのようなものだもの。そんなことで社会は変わらない。365日の毎日毎日の暮らしの中で、ああいうばかげたことは二度とやらないように反省することが必要なんです。

――戦争体験者が減って、戦争というものがピンとこなくなっています。

戦争というのは、単なる人が殺される、子どもが殺されるじゃないのよ。価値観の土台をめちゃくちゃにしちゃう。全部がうそっぱちなの。

夫が戦死したと知らせが来ても泣けない。けなげな妻を演じないと、隣近所から「非国民」と言われるから。これが一番怖いんですよ。誰からも相手にされず、社会の敵になっちゃう。

間違った合言葉もあって「大東亜共栄」とか出ると、どんな道理もすべてひれ伏しちゃう。誰にも本当のことが言えない。誰も信じることができない。人間が人間でなくなるのよ。

――従軍記者として、戦闘場面に出くわしたことはありますか。

一番ひどかったのはインドネシアのバタビア沖海戦ね。1942（昭和17）年3月1日でした。すぐ目の前で日本の巡洋艦と連合軍の巡洋艦が撃ち合いをやったんです。敵の姿が見える限り撃ち続け、殺し続ける。弾丸が相手の船体に当たるでしょ。すると人が空中に吹っ飛ばされるんです。ポンポンポンポンと。情け容赦なしです。

――上陸してからは。

ジャワでも中国でも見ました。手足がバラバラに飛び散ったり、顔の半分が欠けていたり。煙が出れば敵に居場所がわかるから死体を焼くわけにもいかない。埋めるか捨てるかどっちかですよ。お骨をとって、なんて激戦地ではできないですね。

——ビルマの竪琴のような、敵との心の交流も生まれた。

それは、100万の残酷物語の中に一つぽつんと生まれた美談。たまたまよ。それを引き合いに出して「戦争は醜いだけじゃない」などとはとても言えない。

戦場に行けば3日で人間変わっちゃう。自分がどっかにいっちゃって、人間とは言えないが物体とも違うものに変わっちゃう。相手を殺さなければ自分が殺される。それだけです。ふるさとに帰れば心優しい農民を、獣以下に変えちゃうの。

——東京大空襲のときは。

東京にいました。次の日すぐに浅草から下町の焼け野が原を歩き回った。死体が黒こげになってごろごろしていた。町中に、においが残っていてね。空気全体がくすんでいて吐きそうになる。だって10万の人が焼け死んだんだもの。

——戦地とどっちが悲惨でしたか。

両方悲惨だけど全然違う。こっちは戦闘員じゃないもの。自分の居場所で次々と焼け死んでいくんですから。彼らが「戦争をやろう」なんて言ったんじゃないでしょ。アメリカに敵対行為をしたわけでもない。誰かたちが計画した戦争で、あれほど無残に殺された。国民は二重三重の被害者ですよ。名前もわからずシャベルでぼんぼんとすくわれてトラックに積まれ、どこかの穴に埋められたであろうと考えると、戦争は何とも理屈のつけようがない、絶対許されないものなのよ。

今も毎日抱えている危険

――でも、今の日本ですぐにでも戦争が起きるとは思えない。

飛行機と戦車は第1次世界大戦の末期に開発された。これが実用化されて第2次世界大戦は飛行機と戦車の戦いになった。第2次大戦の終わりに出たのが原子爆弾。仮に第3次世界大戦が起これば、原子爆弾が使われる可能性が大きい。開発した物は使いたくなるんです。

戦争は起こそうと思わなくても、誤ってスイッチを押すことでも始まるのよ。誤射一発が連鎖反応を起こす。そういう危険を毎日抱えている。私なんか戦争の経験があるもんだから、怖いね。

――戦争をしないためにどうすればいいですか。

まずは戦争はどうやって生まれたかを考えてみるといい。農耕が始まり定住が始まり食べるものが余り、それが貯蓄されて財産になり権力が生まれた。権力は、勢力の拡大をねらって食い物を取りに行くとか領地を広げに行くとかする。これが戦争の始まりでしょう。5、6000年前じゃないですかね。

人類は、700万年前に現れたとされています。戦争が始まる前の699万年間は助け合って知恵を絞って生きてきたんです。戦争なんてやっていたら絶滅でしょう、獣のエサにもなっちゃうし。

要するに、人類が戦争をはじめたのはつい最近。だから、みんなでやめようと思えばやめられるんだという確信をもつこと。ここをまず大事にすることですね。

――思いはわかりますが現実には難しい。

たしかに難しい。少し前までの戦争の構図は、国家対国家という中で、資本主義対共産主義、デモクラシー対ファッショという形で現れていた。それが徐々に、世界中がほぼ資本主義になり、そこに生まれた矛盾を解決するために行うようになった。

――資本主義の矛盾とは。

はじめは、食べ物でも道具でも自給自足だったのが、注文生産に変わった。次に、買い手もいないのに利益をもくろんで勝手に物を作り出した。これが売れなくなると在庫が出る。それを売るために人工的に消費を起こす。これが現代の戦争です。どこまでも発展するんだという欲望が戦争に拍車をかけてきたの。

――発展を望んできたのは我々一人ひとりですが。

そう。だから一人ひとりが「無限の発展はいらない」と声を上げないと。腹八分目で我慢する生活ですね。言ってみれば人間主義。これが本当に必要です。

――国家対国家という戦争ではなくなった。

グローバリズムでね。日本の企業が中国にたくさん行っているでしょ。もし中国を攻めたら自分の会社を壊しちゃう。そこで、何とかマーケットを自由につかんでおきたいとか、利潤追求の産業活動的戦争が色濃くなっていった。アメリカのイラク攻撃見ればわかるでしょ。

――ソ連のチェコ侵攻とかアラブとイスラエルの戦争もありますが。

あれは原始的な本来の戦争、局地紛争です。これまでの戦争は、世界の一部で起きているに過ぎなかったけど、第3次世界大戦になれば、文字通りの世界大戦になるね。

ここで戦争をやめさせることができなければ、人類が地球上に存在できるのはあと数年か数十年間かも知れない。そういう所まできているんです。これからの10年でみんなが何をするか。それで決まると思ってます。

ごまかしとウソを重ねる

――戦後の対応に問題はなかったのですか。

この戦争は何だったのか。誰が何のために計画したのか。天皇陛下の命令だと聞いたが本当にそうなのか。おれらは戦争やろうなんて言ったことないけど、なんでこんなおかしな生活になっちゃったのか。そういう、戦争を自らが裁く作業をやらなければならなかったのにやらなかった。命が助かったというだけでぽーっとなって、全然能力なかった。私たちの世代が悪いのよ。

――戦時中の検証も必要ですね。

我々は「日本国民」と言われたことはないのよ。みんな「日本臣民」なの。そして軍国体制が強まると「臣民」でもだめで「皇民」。

――「国民学校」という名前はありました。

それは、主権が国民にあるという印象を与えるためにつけたんだろうな。手なずけようと。文教政策の中でも「良い子」という言葉が頻繁に出たものな。「良い子」とは政府や国家の言うことを、ハイハイと聞いて行動する子のこと。子どもたちの行動や思考力を縛り付けるために持ち出した言葉なんです。「悪い子」とは、先生やお国や親の言うことに背く子。権力は、実に言葉をうまく使っている。今でも似たようなことがあるのじゃないの。

報道も、言葉それ自体で狂っちゃった。「軍隊」「日本軍」というのを「皇軍」と書いた。戦争とも呼ばず「聖戦」だ。まさに良い子。疑問もたなかったのよ。

――**「良い子」を求めたのは子どもにだけじゃない。**

みんなそう。公のためにあらゆる犠牲をはらう。これこそが最高の日本人の生き方だと教えられる。従って奉仕を怠るやつは「悪い子」。牢屋（ろうや）に入れられたわけだ。国家に弓引く者の最高刑は死刑。

私は、ジャワで行われる軍政の機密を知っていたが書けなかった。書いていたら「デマを書いて日本を混乱させた」と死刑だったでしょうね。

戦争をやるときは敵国を欺くけど、自国民も2倍も3倍も欺く。戦争というのは、はじめから道徳と反対なんだ。ウソつかないとやれないのが戦争なんですよ。

――秘密を敵に漏らさないために。

朝日新聞の社会部に投書がくるでしょ。1カ月に3000通も来る。私のところに集まって、土曜日の夕刊に載せるの。あるとき内務省から「とんでもない文章だ」と電話がかかってきた。何が悪いかと言うと、小学6年生からきた投書なんですよ。当時はたばこが配給制度なんです。勤めている父親の代わりにたばこを取りにいったため学校に遅刻した。先生に怒られてポケットを調べられたら、たばこの粉が出てきた。「おまえはたばこを吸っているのか」とビンタされたと。「こんな悲しい思いを子どもにさせないで下さい」。こういう投書だよ。

これがだめだって。理由は簡単。アメリカやイギリスにこれがわかると、日本はこんなに困っているんだと思われるから。それほど政府は徹底的に規制やごまかしやウソを重ねたのよ。そういう中で生きていく。何も考えず、みんな「良い子」になってね。

全国民で裁くドイツ

――ドイツの戦後対応はどうでしたか。

ドイツ国民もヒトラーが出たとき歓迎した。国家社会主義ドイツ労働者党なんて左翼のふりしてくるんだな。ストライキがあると一番応援したのはナチスだった。だからユダヤ人を虐殺するとは思わなかったものな。わかったのは戦争終わってから。

ドイツ国民は、これはナチスだけの問題ではなく民族全体の問題だ、と受け止めて全国民で裁くことにした。そして、アンデスの山奥までナチスの残党を捕まえに行ったでしょ。

ドイツを旅行すると、小さな広場に標柱があってね。「何年何月、ここに500人のユダヤ人が集められて、アウシュビッツに連れていかれたが、我々は止められなかった」と書いてある。二度とこんなことをしないぞという決意表明。そういう碑がちゃんと建っている。

――なぜ日本ではできなかったのでしょう。

日本人は、自分たちが戦争したという意識がないからなんだろうな。軍隊から言われたからやっただけです、と。

すごいことをやってきたのよ、戦地で。女性に乱暴する、金品は略奪する。人を拉致して牢屋に入れて強制労働させたりな。でも帰ってきてふるさとに戻ったらみんな黙っている。迷惑かけた中国や朝鮮やアジアの人たちへの一生懸命のお詫びも、あまりない。本当に、きちっと考えなかった。

――他民族に対する差別意識と関係があるのでしょうか。

権力があおったのよ。社会の中で「ロシアは弱い国だ。我々より低い国だぞ」という侮蔑感を生むように、大人が子どもに植え付けたわけだ。大人も権力から植え付けられた。1915（大正4）年生まれの私は、ロシアをロスケと呼んでいた。日露戦争で「日本は勝った、勝った」と言って、ロシアは低級な国だと国民に植え付けた。

――人間には元々、差別意識があるんでしょうか。

そうじゃない。人間が支配する側とされる側の二つに分かれてから出てきたの。江戸時代の身分制度もそうでしょ。それが戦争の中で増幅されたのよ。

差別をする人間は、自分を粗末に扱っている人間だね。戦後しばらくは東京の銀座に、まだ防空壕が残っていて、街灯もあまりなくて暗い。そこに連れ込まれたら何をされるかわからないという状況だったけど、夜中に娘さんが一人で歩いていてもまったく安心だった。人殺しなんかもなかったのよ。

みんな「ああ、生きていた」と実感して、命の大切さをわかっていたから、他人も大事にした。同じ苦しみ、同じ悩みを抱えているから、人と人が大切にし合っていた。自分を大事だと思う人は決して他人を差別しない。

そうなるためにはまず、一人ひとりが自立した生活の主人公になることですよ。ごく当たり前の、人間主義の生き方をするということです。それができれば、永遠の繁栄なんてことを求めなくなるでしょ。

人類の三大病は、戦争と病気と貧困だという。軍隊と兵器のために使っている予算やエネルギーを病気と貧困に向ければ、人類の悩みの8割も9割も解決できるんではないですか。

戦争はいらぬ、戦争はやれぬ

――戦争をやめる具体的方法はありますか。

私なんか戦後、戦争をなくすことに命をかけてきたけど、平和運動とか平和集会とかデモ行進とかで戦争を止めた記録を一つも知らない。「戦争反対の行動に参加した私は良心的だ」と、自己満足的平和運動になっているからです。

でも、声を上げないと「民衆は反対していない」と勝手に判断されるから、デモをやめるわけにはいかない。
本当にやめさせるには、戦は「いらぬ」「やれぬ」の二つの平和運動でないとならない。

――いらぬ、とはどういうことですか。

前にも言ったように、無限の発展もなにもいらないと。地球の環境を大事におとなしく当たり前に生きていくこと。腹八分目主義。今の言葉で言うと、スローライフよ。「やれぬ」は、兵隊になる人間が一人もいなきゃいいっていうことですよ。いくら兵器があったって動かす人がいないわけだから。そういう国をつくりたいのよ。

――そのためには。

人類が67億人いたら一人ひとりの人間が自分の生き方を、当たり前の生活に戻していくこと。おれが何か一つ変えれば67億分の1が変わったことになる。おれと同じように変えた人がどこかにいて67億分の2になる。そうして一人ひとりのなかに、戦争をなくすという思いの絆をつくっていく。これが一番簡単なことじゃないの。

――簡単には思えません。

金も命令も法律も何もいらない。今からでも自分一人でできるという意味よ。万人に効く妙案はないんです。国同士が仲良くするといったって危ういのよ。戦争やろうと思えば思うほど仲いいふりするもの。戦争やる気がなきゃ、けんかしたっていいんだから。ともかく、戦争を止められるのは国同士ではなく民衆同士のつながりだな。

たとえば中国の民衆と日本の民衆がぶつかり合って、腹を打ち明け合ってね、戦争はだめだと。そのために憲法9条のように武器も軍隊も交戦権もみな否定して平和なアジアをつくりましょうやと。そういうところで腕を組めるように動かないと。中学生や高校生、主婦同士の交流などいいね。

――交流の要になるのは。

違う物を排撃することをやめること。差別をやめるということでもある。地球上にまったく同じ人間は一人もいない。100億人になろうとみな違う。違うからこそわかり合えて力を合わせられる。夫婦でもそこからでなきゃいかんのですよ。そこを認めることで本当に愛し合うことができる。

ところが困ったことに、最近は家庭の中でこれが壊れている。生活の時刻表が全然合わないわけでしょ。家族が一緒に食べる、話す、寝る、という大事なところがバラバラになっていて。わかり合うという状況を全然つくれないもの。そういう生活様式を当たり前に戻すことから始めないとならないな。

戦争は、砲弾が飛ぶのが始まりではなく、その前に弾丸の飛ばない戦争期間がある。今は第3次世界大戦の、その期間に入っちゃっているように見える。それを克服するために「人は違っているからわかり合える」を合言葉に、みんなが一人ひとりの個性、存在意義を認め合う世の中にしていこうじゃないですか。

第3章 やるならトコトン、あきらめるのをあきらめろ

やるならトコトン、
中途半ぱは
全部をこわす

上っ面ばかりのTVニュース

2009年5月13日

目が悪くなって、最近は新聞をあまり読めなくなってね。だからテレビとラジオでニュースを聞いているけど、このごろはどのチャンネルにしても同じことばっかりやっているな。

少し前は北朝鮮の飛翔(ひしょう)物体について。次が、人気歌手がお酒飲んで全裸になったという話な。私はそのとき初めて草彅剛(くさなぎつよし)という歌手を知ったが、それでももし裁判にかけられたら特別弁護人で行ってやろうと、息子に言ってたの。よくわかるもの、気持ちが。

30歳過ぎて人気者でいるための孤独よ。だけど道徳心はあるんだ。暴れたりおなごを襲ったりはしない。むなしさが募って発散しなければならなくなったら、94歳のオレだってやるって。処罰する必要なんてないってことよ。

そんなに酔っぱらっているのなら、警察はまず保護しなければいけないのに、火つけて歩いたみたいに逮捕したでしょ。どっかおかしいのよ。

それを毎日毎日、アナウンサーの口から出てくる内容は、裸でわめいていたという上っ面の現象だけだ。

そうじゃないの。そういうことをするのはなぜなのかというところを掘り下げないと。そこまで行かないからトピックスで終わっていて、ニュースになっていない。だから聞いていてつまらない。

次に騒いだのはソマリア沖の海賊への自衛隊の派遣な。これも現象だけを追っている。根本は、なぜソマリア沖で海賊が出るのかでしょ。内戦で混乱して貧しいんでしょ。ならば海賊をやらなくてもいいようにするにはどうするのか。それを先頭に立って世界に呼びかけるのが、憲法9条を持っている日本が本来やる仕事じゃないですか。

向こうが脅せばこっちも鉄砲撃とうなんて、全然賛成できない。子どもをぬるま湯に入れて、だんだん熱い湯にも入れるように慣らすのと同じで、少しずつ自衛隊が軍事行為を出来るようにしていると私には映るな。

最近は、豚インフルエンザばっかりだ。どの番組も毎回トップで長時間伝え続けるほど重要なことなのか、オラにはわからない。

出来事を型にはめて、ほかのチャンネルと同じようにしていれば我が身が守れる。ちょっと違ったことをやれば世間から批判される。そういうことを恐れているように感じてしまうな。

子どもから大人になる14歳の目

2009年5月27日

今、何冊かの出版準備をしているけど、最後は恋愛小説にしようと思っているの。頭の中に浮かんでいるのよ、14歳の娘と70歳になる人類学者の恋愛小説ね。舞台はどこの国かわからない。人類学者の名前はグランドパパだからグラパで、娘っこはハレルさん。文通の中で、娘が哲学を深め、人類は今、何が欠けているかを学んでいくの。

なぜ14歳の娘かというと、そのころは子どもから大人になる境目で、人間の中で一番純粋で感受性が鋭い時期だから。転換期でもあるから、うんと悪いこともする。先だって、少し年長だけど札幌の高校生が、自分で爆弾つくって教室を爆破して同級生を殺そうとしたでしょ。そして「人を殺して何の問題があるの」と言ったというじゃない。この言葉はすごいと思うよ。大人に対する痛烈な抗議、しっぺ返しですよ。

100年に一度の経済危機といって、大企業は何をしたか。労働者の首を切ったほかに、寮から追い出し、採用も取り消したでしょ。人間をくず扱いしたんですよ。あの子がやったことを許すわけにはいかないけど、大人の側だって人間を大事にすることなんて何もやってないじゃないの。涙がでてきそうになったな。日本もここまで落ちたのかと。因果応報。我々がそういう日本をつくったという反省をしなきゃいかん。

「なぜ人を殺しちゃいけないのか」という言葉は、14歳の酒鬼薔薇聖斗事件のころテレビ番組で高校生が言って、大人がたじろいだことがあったけど、人の命だけは何があろうと奪っちゃだめだ。

一つしかない物を奪う権利は誰にもない。自分が同じ物をつくれないものを消し去ってはいけない。代わりがいない、かけがえがない、ということよ。

高校などに呼ばれて生徒たちにこういうことを話すと、彼らはぴかぴかと目を輝かせる。大人たちはもう少し、若い連中のありのままを見ることが重要だな。

小中学生に、携帯電話を持たせるかどうかなんて、なんで大人が相談するのよ。子どもたちに相談させればいいのよ。「これで悪口を言われて死んだ子どももがいるけどやはり必要なの？」とかな。大人と子どもの関係が死んでいるもの。そこをしっかり考えないと。

リーマンショック

2009年2月27日

今回の、アメリカから始まった100年に一度の金融危機というのは、資本主義の自滅なんですよ。

実際に物作って売っているなら、当たり前の経済行為でいいの。しかし実体の伴わない物でぼろもうけをたくらんだ。3年後、5年後の石油がなんぼになってるなんて、ばくちでしょ。

それで実体経済をぶっ壊しちゃって、その張本人の証券会社や銀行などが、政府に「何兆円助けて下さい」なんてな。

資本家が労働者を雇って行うのが資本主義経済でしょ。ところが言葉ではずっと「労使関係」と言ってきた。「使労関係」と言ったことはないの。

これは「労働こそが人間生活、生産活動の土台だ」「資本とか技術はそれに従属するものだ」という考えがあってのことだ、とオラは解釈するわけだ。

それが、経済的に豊かになるに従って崩れていった。働く人を機械の一部としか見なくなり、もうけるためなら何でもやりだした。

数年前に、全国のパート労働者の集まりに呼ばれて講演したことがあるの。各地からの報告の中で、パート労働者の給料はどういう会計項目で出ているかを調べたら「雑費から出ていた」という話があった。人件費じゃないの。完全に部品扱いなわけだ。

労働者も自分を見失って、力を合わせてともに生きるということをやらずに、競争して人を蹴落とすようになっていった。結局、それらのしわ寄せが労働者にいった。

今や実質的に、社会主義や共産主義はほぼ消えて資本主義だけが残った。その資本主義もおかしくなった。

なぜこうなったのか。どこを直せばいいのかをしっかりと考えないとならない。じゃ、どうすればいいのか、と聞かれても即答できないが、言うなれば「人間主義」じゃないとダメだな。

最近、横手市（秋田県）の呉服屋の主人のことを思い出しますね。「新しい仕事を始めるときは不景気のどん底から始めろ」という信念の人でした。「どんなことがあっても、始めたときより悪くなることはないから」と言ってましたね。
まったくその通り。今は、世界中、不景気のどん底。その、絶望のど真ん中に希望が存在しているのよ。

地球は、小さく弱い生命の性質に合う

2009年8月26日

「お元気ですね。秘訣（ひけつ）は？」なんてよく聞かれるけど、そういう聞かれ方はあまり好きじゃないね。特別のことをやっているわけじゃないから。何かの薬を飲んでいるわけではないし、もしそれで若さが保てたとしても、克服するということじゃないしな。

元気の秘訣を強いて言えば、旧制中学の時にずっと歩いて通学していたことだろうな。片道2時間半。ゴム靴履いて雪の日も雨の日もだ。でも、つらいと思ったことは一度もなかった。知らないことをどんどん教えてもらえたから。そこで石坂洋次郎さんにも教わったわけだ。

この連載が始まって、スーパーなどで「むのさん、読んでるよ。肩っこ触らせて」

なんて、男も女も言ってくる。元気にあやかりたいんだって。今でも自転車は乗るし、日帰りで東京まで行くのを知っているのでしょう。

最初は泊まろうと思っていくのよ。でも、心が安らがないから帰ってきちゃう。本当に東京はつまらないな。

電車に乗るとみんな寝ているか寝たふりをしているもの。寝たふりとは、他者との関係を絶って自分で悩んでるんだべ。私にはかまわずにいてくれということ。自分の放棄でしょ。

花は、あれだけいっぱい咲いたって隣の花を傷つけない。枝だって放っておいても避けあって、どの花も咲かせようとしている。

ところが人間は、自分だけ大輪の花を咲かそうとする。欲望の結果は、アメリカの巨大企業がガタガタになって、明日はどうなるかわからんというざまでしょ。

地球というのは、巨大なものに向かない星なんだ。この宇宙の無数の星の中で、地球だけがたった一つ、命の星だというのは、顕微鏡でも見えないほどの微生物が地表を覆っているからですよ。小さなバクテリアがいて多種多様の植物を育て、その実りを何百万種の動物が食べて生きている。

地球は小さなものが住むのに合うんだ。威張るもの、乱暴なものは嫌いなんだ。

小さくて弱いもの、軽くて低いもの、少なくて細いものなどを大切にしなくちゃ。そうすれば人間優しくなるんじゃない。花が傷つけずに咲き合う「共生」という感覚も大切にして。

大切にされてこそ敬老

2009年9月16日

「敬老の日」というのがありますね。老人週間もあるんだってね。政府はそういうものを設けながらちっとも年寄りを敬っていない。「敬老」どころか「侮老」ばかりだ。

まず「高齢者」という呼びかたね。高齢者があるなら低齢者がなきゃいかんでしょ。でも青少年にそんなことは言わないじゃない。そして「後期高齢者」なんてのまで考えついた。

それから老後とは何だ。老いはあるけど、老いた後とは何なんだ。よけい者だというのでしょ。高齢も老後も老人を侮った言葉ですよ。

それでみんなが気づいちゃったんだ。政府が言葉でいろんなことをごまかそうとしていることを。老人は老人、年寄りは年寄り。それだけでいいのよ。敬老会というのも、人を小馬鹿にしているよ。10年くらい前に誘われて行ったことあるけど、安っぽい折り詰めに2合瓶一本つけて、幼稚園の子どものダンス見せて、選挙に出る連中が挨拶して、それでおしまいだもの。なんもおもしろくね。

喜んでいる人もいるでしょから、それはそれでいい。でも喜んでいない人もいるということを理解してもらわないと。しかも相当いるんじゃないの。2、3回行けば同じだもの。もっと心を込めた、年寄りが、長く生きていてよかったと思う行事、何かあるんじゃない。

私は年金は、はじめから拒否しているからないんです。1961年に制度ができたとき、「集めた銭を軍備強化に使う恐れがあるから入らない」と。

そういう立場だけど、年金を「若者3人が高齢者1人を支えている」というような言い方はおかしいと思うよ。

本当の社会福祉、社会保障から見れば、我々を支えているのは、個人じゃなく国家なのだから。みんなでみんなを守るの。全体で全体を守るの。社会保障制度とはそういうもの。

本当の社会福祉の気持ちがあるなら、起こるはずない事件も、たくさん起きたでしょ。社会保険に関係する職員の横領だとか、納めたはずの年金の記録が残っていないとか、ずさんなことばかりだ。

今は、老いることで人間をくず扱いするじゃないの。でもそれは間違いよ。おれなんか70歳より80歳、80歳より90歳と、ますます頭よくなってきたもの。

暮らす単位は2万人規模

２００９年12月9日

この間、前の総務大臣の増田（寛也）さんが、市町村合併は「結局は負の面が多かった」と言っていましたね。こんなのはやる前に気づいてもらいたかった。政治というのは、そのくらいの先見性がないと。私の周りで、合併を喜んでいる人は一人もいないもの。大失敗だったな。

合併前なら道が汚れていれば「おらの村の道だから掃除すべ」となったが、今じゃ「おらと関係ねえ」と手を出さない。汚いままだ。

たとえば隣り合った町に、一つずつ図書館があって、50冊ずつ本をそろえている。それより、１００冊を1カ所にそろえた方がいいとなった。

でも、漁業の町には漁業の本があり、農業地帯には農業の本がそろっている。そんな個性を見落としていたから、図書館が二重に見えちゃった。枠組みを変えるだけでは解決しない問題がたくさんあるのが人間生活なのよ。

現実には、それぞれの図書館がそれほど特徴のある本をそろえていたわけではなかったけど、個性を持った本をそろえる努力をすれば、地域間の交流や工夫で、小さいままで生き残れる道はいくらでもあるわけよ。

そのためにはまず、デモクラシーの本物をやらなきゃいかん。たった一人の意見でも、行政はそこに出かけていって真剣に聞くような。

ところが行政側は人間を絡(から)げるんだ、十把(じっぱ)一絡(ひとから)げに。バラバラだと手間ひまかかって言うことを聞かないから。役人がイスに座って何とかセンターをつくって、そこに人を集める。これは統治で、反民主主義だと我々が気づかないといけないのよ。

道州制も根本は同じこと。あの話はこれまで何回も出ているけど、いつも国の側から出てきた。国家の行政効率を上げるためには、都道府県単位では規模が小さい。同じ1億円を使って1000人より1万人に影響が及ぶ方が都合がいい、というわけだ。

権限を道州に移譲し、それで国家公務員が減るかというとあまり変わらない。安穏としている。そういうのは、よくないんじゃないの。

私は、人間が暮らす単位は2万人規模がいいと思っているの。周りの暮らしも人の顔もわかるもの。市町村合併や道州制はますます小さな町を消し、人間を見えなくしていくだけよ。

「すり替える」と「すり抜ける」

２０１０年１月20日

久しぶりに東北の話をしましょう。

6県で共通しているのは、厳しい自然条件だ。冬は雪が降り続き寒い。だから、ひたすら耐える。そこから出てきた知恵というものが、東北人の特性というものをつくった部分があるんでしょうね。

青森のねぶた祭りの最優秀賞は以前は坂上田村麻呂からとった「田村麿賞」だったでしょ。東北を制圧しにやってきた大将の名前をつけたのが一番いい賞だという。どこかおかしいわけだ。

東北各地で田村麻呂が建立したとされる社寺がたくさんあって、それがすっかり受け入れられているでしょ。おかしいでしょ。

侵略された側は、侵略者に対してどう対応するかというと、原点はとことん戦う。それで勝てなかったら寝返る。正確には「寝返ったふりをする」でしょうな。そうすればいじめられないもの。そうしている間に、彼らはいなくなる。そして安心して暮らせる。生きる知恵ですね。民衆はしたたかなものですよ。

侵略者側はどうするかというと「すり替える」だ。本当の狙いとは別な形でやってきて目的を遂げる。社寺を造ったのも、自分の贖罪(しょくざい)と蝦夷(えみし)を従わせるためだが、信仰を使った。

そういう「すり替える」を一番やったのが秀吉ですよ。戦の時あちこちから百姓をかき集めて戦場に送ったでしょ。みんな武器を持っているから、徒党を組まれたら困るわけだ。それで武装解除を狙った。

そうして「刀狩り」だ。刀を召し上げるために「争いはよくないことだ。刀を集めて大仏を造って極楽浄土に行きましょう」って。

そういう要求が来たとき、民衆はどうするかというと、すんなりとは言うことを聞かない。最後に屈服させられ、心服したようなふりをする。刀狩りでは、刀を「出したふり」をして出さない百姓もいた。オラが生まれた家にも刀が残っていたものな。

そうして「すり抜ける」。本心と本心をぶつけない。はっきりさせないで、もやもやのまま。

「すり替える」と「すり抜ける」。民衆と権力の知恵比べみたいなものだ。

それが田村麻呂の社寺を敬い、最優秀賞が田村麿賞ということにつながっていくんじゃないの。真正面からぶつからないこういうのは、私はマイナスだと思うな。

6歳の子が国境越えて交流したら

2010年2月17日

2008年、仙台市の小学校にパキスタンの男の子とモンゴルの女の子が入学した。1年生の33人学級。男の子は日本語ぺらぺらのイスラム教徒。女の子は日本語が話せないが元気いっぱい。

男の子は、戒律を厳しく守るから豚肉などが入っている学校給食が食えない。だから最初はいじめがあった。先生は、なぜ給食が食べられないかをクラスで話し合わせた。

そしたら子どもたちの世界への関心が高まって世界地図を開いたり、地球儀を持ってきたり。モンゴル語を教えろとかパキスタンの話をしろとか。

数カ月後には国境なんか越えて、たった6歳の子が国際社会をつくっていた。あっという間に「世界人」が育っていたのよ。

こういうのを見ていると、21世紀の後半は国境を越えて交流する時代になる、と感じるな。

国境なんて、元々地球にないんだもの。人間が勝手につくったんだもの。いらないよ。国にお伺いしなければ何もできないというのがおかしいんだ。

国境を越えた交流が進むと、政府や市町村はどんな役割をするのか。そんなことを考える必要が出てくるわけだ。

税金について言えば「税金を納める」という考えがまずおかしい。上から一定の基準を設けるというのは、支配、搾取でしょ。

町内でも、何か行事があって「そのためにいくら必要だからどうする」と考える。会費みたいに納めて、共同負担、これが税金なの。夢みたいだけど、原点に戻すということよ。

物事は道理に合わないものはだめだ。誰が考えてみても「これは必要だ」「間違いない」というのが道理。ごく自然にそういうところにいかないとだめだ。ところがいつも、何かうまい処方箋があって、と考えるんだ。そんなものは何も役に立たない。どうするかを身もだえして考えることが必要よ。

信用していいのは、68億人の共通する常識。良識なんて言わない方がいい。人間として考えて「これいい」と思うことは似たり寄ったりよ。それを信用すればいいのよ。

人間は、自然とともに生きてきた。人と人とが力を合わせて生きてきた。人間を超えるものに何かを求めるとき、人間は腐る。ごくごく普通に生きればいいの。

「無縁社会」の背景は

2010年3月8日

最近、無縁社会という言葉が使われ出しましたね。人と人を結びつけるために役に立ってきた、隣近所や職場のつき合いが、ここにきて次々と壊れだした。そんな社会を指して言い出したようですね。

これまで人類が、あらゆることの中心に据えて動いてきたのが血縁と地縁。そのどっちもが、言うことを聞かなくなってきた、ということでしょう。

芸能関係でも、師匠と弟子の関係が成り立たなくなってきているようだし、大相撲も同じようでしょ。人間と人間を結びつけたすべての「縁」が壊れちゃったのよ。

その典型が家族なんです。親子、夫婦、兄弟。全部バラバラ。結びつきがまったくなくなった。この「結びなし社会」をどうするか。ただしゃべっているだけでは愚痴になるから、なぜそうなったかを考えないといけない。

出発点は、連合国軍総司令部（GHQ）の政策でしょう。太平洋戦争のとき、アメリカ軍が一番怖がったのは何かというと、特攻隊でした。爆弾いっぱい積んだ飛行機で軍艦にぶつかってくる。死ぬのがわかっていて飛んでくる。撃ち落とされても撃ち落とされてもやめない。「ものすごい恐怖だった」って、戦争が終わってすぐに、アメリカ側から聞いた話です。

それでGHQは、まず特攻隊の根っこを断たなければならないと考えた。家族制度と地域制度と右翼が根っこだ、と考えてマッカーサー最高司令官はすぐその調査をやったのよ。でも右翼は関係なかった。

影響を与えていたのは家族制度と地域制度。これが「忠君愛国」精神を、最も根本から支えていたと判断したんです。

一家のすべての権限を家長が持っている。小作料払えなくなると、娘を売り払うこともできた。それが「家族を助けるけなげな娘」と称賛される。身を挺(てい)して国や家族を救うことほど尊いものはない、という精神を生み出した。それを社会で支えたのが集落、農村のしきたりだった。そういう制度を壊さなければいけない。そういう結論だな。

そうして、同居する何世代を家長が管理統括する旧民法から、結婚すれば夫婦は新しい戸籍をつくって独立するように法律を変えた。そうして家族がバラバラになっていった。

これが背景だ。あとは、次回にしたい。

2010年3月29日

3世代同居に戻ったら

「無縁社会」の続きを話しますとね、連合国軍総司令部(GHQ)が「特攻隊の根っこを断つ」と、家族制度を解体した。若い人たちを独立させ、それまで3世代が同居していた大家族がバラバラになった。これが無縁社会のスタートだな。

週刊新聞『たいまつ』の取材で農村を回ったけど、「家族がバラバラになるのは困ります」という声は全然出なかった。むしろ飛びついた。家父長制度というのが、非常に重苦しいもので、できればこれから解放されたい、とみんな思っていたの。だから歓迎した。「暮らしやすい」「煩わしくない」と。

そうなって社会がよくなったかといえば、何もよくならない。核家族が生まれて、おばあちゃんが一人で暮らすようになり、死んで1週間たって見つかる。高齢化で農業ができなくなって、食料自給率が4割まで下がる。今や、救う手だてが何もないじゃないの。

3世代同居というのは、人類始まって間もなくからあったのよ。なぜ長く続いてきたのかというと、役割分担がしっかりしていたから。財産と技術は父から子に伝える。生き方とか知恵とかは祖父から孫へ、というように。

家長は、だいたい60歳くらいになると、家督を子どもに譲った。譲られた子どもは忙しく働いている。時間に余裕のできた元家長は、囲炉裏端で孫に語るの。ゆっくりした生活の中で、世の中のことや人間のこと、物の見方を伝えていく。一番大事な知恵をね、自然に伝わるように。

有名な童話の多くは、作者が50、60歳代のときに、自分の孫に語って聞かせる遺言状のように書いたものなんだ。

家父長制度は否定しなければいけなかったが、3世代同居の中にあったこれらまで、なくなってしまった。

無縁社会から抜けるには、私は3世代同居に戻るのがいいと思うんだ。その話を東京で講演をしたときに言ったら、若い女性が「それは絶対やだ」と。夫の親と同居していて、どれほどいやな思いをしたかと、ぼろくそに言われた。

それはジジ・ババがだめなのよ。嫁を思い通りに動かそうとするから。

それだけでなく、人類を土台からつくり直さないとならないときにきていると感じているのよ。気にくわないものは抹殺するなんていう論理がまかり通っている状況で、家族関係なんて育つわけがないもの。

2010年4月26日

さびれる地域を新創造

私が東京からここ（秋田県横手市）に引き揚げてきたのは1948（昭和23）年でした。近所は全部で40世帯。私の家は子どもが5人で、少ない家でも2人はいましたね。それだけ大勢の子どもがいたから、近所の人たちで毎年50人乗りバスを2台借りて、海岸に連れていってたの。

今は78世帯に増えたけど、小学生は何人になったかというと、1人よ。子どもが生まれなくなっちゃったんですよ。

農業がやりにくい状態で、若い者はできるだけ便利な都会に出かける。毎日「小字（こあざ）」が二つぐらいずつ無人化しているというじゃない。だから今後も子どもが増える要素はない。地方は東京よりひどいんじゃないの。

バス旅行をしていたころは、町内のおやじどもが一緒になって、近所の子どもの面倒をみていた。「おはよう。お宅の子どもは最近元気？」なんて会話もあった。少子化は、子どもが減ってきた今は、そういう関係が成り立ちにくくなったでしょ。少子化は、地域での地縁なんて、つくりようもなくしたわけだ。

会社での「地縁」はどうかというと、これもダメになった。入社して定年まで働いて、年金もらってという、疑似家族的状況が壊れちゃった。人件費削減で正社員は雇わず派遣社員にして、何かあるとすぐリストラする。サラリーマンは今、氷室（ひむろ）に入ったような冷たさじゃないの。

家族もダメ、隣近所もダメ、労働現場も当てにならない。どっこにも支えになるものがないじゃないですか。これが現状。ここは根本から出直さないとならない。そう思うわけです。

まず原因を究明することね。なぜ隣近所、家族、職場が当てにならなくなったのか。それから、これまでとは違う結びつきはつくれるのか。やり直す手だてはあるのかないのか。そういう再点検と再検討だ。その結果を、気持ちのある人が試し、そこから創造していく。

要するに、地縁や血縁に替わるもう一つ新しい希望、道しるべだな。それがつくれるかどうかだ。資本主義も社会主義も壊れた。その先の現実が、まだ生まれていないから、何とか主義とか言うことはできない。だから創造なの。

これまでにない、まったく新しい道を探る。右に行ってみてだめなら左に行く。そうやって、もがきながら、もがきながら、本物の道を自分らでつくるしかないじゃない。

電車で騒ぐ子と大人

2010年10月4日

この間の朝日新聞の「声」欄に、電車の中で自分の子どもが騒いだら、乗り合わせていた人にものすごく怒られた。だからもう怖くて家族旅行にいけなくなったという投書が載っていたでしょ。そのあとに「温かい目で子どもを見て」という意見と、「子どもに対するしつけがなっていない」と親をしかる意見も載った。

これは、大人の側の問題と、子どものしつけの問題とに分けて考えた方がいいと思うな。

かつては、子どもが泣いても怒鳴る大人はめったにいなかった。それが増えたのは、大人の側にストレスがたまっているからでしょう。安心感とか柔らかさとか生活の喜びというものが持てなくなった。それを子どもにぶつける。人間らしい生き方が失われているという証拠よ。

子どもがいなくなれば地球は終わる。子どもは人類の命綱であり、希望の光だ。それを邪魔者にしている。ひどく貧しくて悲しくて何の救いもない行為だ。大人は自分の生き方を振り返り、そこら辺を考えるべきじゃないですか。

それからしつけね。しつけとはマナーです。家族だったり学校だったり隣近所だったりの集団の一員としての心得です。これは周りにいる大人が教えてやらなければいかんでしょ。

それは、こうしなさい、ああしなさいと言葉で導くものではない。無言で、生の事実でやってみせることだ。裁縫のしつけ糸みたいにキュッキュッとやるのは制約で、拘束だ。しつけは、し続けるということ。「親の背中を見て育つ」ということよ。

そこに、立ち食いという問題が絡んでくる。東京では、町中で平気で立ち食いしている大人が目立つ。物を食べるときは、人間だけじゃなくてどんな生き物でも、楽な姿勢で食うのが本能よ。ライオンやトラだって座って食っているでしょ。立って食っているのは牛や馬。人に飼われている家畜くらいだ。

これまで人間が立ち食いをしていたのは、戦の時だけ。現代の立ち食いは、人間が家畜になったという意味でもあるな。やってはいけない最低のしつけを、やってみせている。怖いことじゃないの。

乗り物に乗って子どもが泣いていたら「おなか痛いんじゃないの」と大人同士でいたわり合えば子どもも親も安心するよ。そういう人びとのつながりそのものを生き返らせないといけないという問題も絡んでくる。

ゆっくり生きるという生活の中から、人間の家畜性を減らしていくことからはじめないとだめだな。

介護社会の「老い栄え」

２０１０年10月18日

高齢者の行方不明問題がクローズアップされているね。あれは、いかに日本に敬老精神がないかを示している事件だ。あるのは「侮老（ぶろう）」ばかりだと言ってきたけど、その通りだったな。

「老いぼれ」はあるけど、「老い栄え」はない。「老醜」はあるが「老美」はない。若いときと違う美しさや、60年、70年の経験からつくり出されたものがあるんだけど、そういうことは評価しないものな。

徳川時代の方がうんとよかった。敬老なんて言わないけど、家老、老中、大老って、みんな藩の重責を負った人たちだ。

ただ、うば捨て山はあった。藩から、55歳になったら山に捨てろと言われた。若者たちは捨てたふりして老人を守った。ちゃんと山にマンマ運んでいた。殿様が無理難題を言ってくると、うば捨て山の老人の知恵を借りて乗り切っていく。そういう昔話は、全国にいっぱいあったもの。

現代は、介護だデイサービスだと言いながらこのざまでしょう。行方不明のまま放置していた役人が「生きていれば百何十歳です」なんて、人が死んでいるか生きているかもわからないような福祉国家なんてどこにあるの。

テレビにいろんな役人が出てきて老人宅に「行っても会えなかったので」とか説明している。その人たちの肩書が「副参事」とか「主査」。どんな役職かわからない。役所の都合で勝手につけた肩書でしょ。市民とは縁遠い、役人天国の象徴ですよ。自分たちは何をしなければならないかがわかっていないんだ。

大阪地検の証拠のフロッピーディスクの改竄も同じ。悪を取り締まるのが仕事なのに、上司に評価してもらうために無実の人も犯人にしてしまう。本当に情けないな。

昔は役人とか警察官が盗みをすると大事件だった。絶対に悪いことしない人だったから。今ではニュースにもならない。「ああ、またか」だ。社会のタガがゆるんで腐ってきているんですよ。正義感なんてなくなってしまった。

この腐った社会の大掃除は難しいですよ。警察や検察や行政ではやれないことがわかったんだから。それは、我々自身が、自分たちの問題としてやらないといかん、ということを突きつけられていることじゃないの。

だから「大阪の検察はひでえことやったな」と言わずに「ひどいことをやらせて

しまったな」と考える。我々がほったらかしていたからこういうざまになったんだと。尻ぬぐいはおれたちがやらなければならない。そう考えていかないとダメじゃありませんか。

「領土」は戦の論理ではダメだ

２０１０年12月6日

尖閣諸島問題と北方四島問題を見ていると、日本が根本から試されているような気がしますね。中国もロシアも、領土は自分の物だと、日本の主張を全部否定する。日本側もまた、非常に強腰に対抗している。

これらを見ていると、私は軍国時代を思い出します。領土を取ったとか取られたとか、勝ったとか負けたとか。まるっきり昔と同じ。このままでは過去の姿を繰り返すことになる。平和憲法を掲げた日本は生まれ変わったのか。根本から試されているというのはそこです。

さてどうするか。大事なことは、問題のけじめですね。これをはっきりさせる。どちらの言い分がどうであるかということを、日本は一歩も譲らず明確に言わないといけない。妥協しちゃだめだ。

同時に、相手の言い分を頭から否定せず、なぜそう主張するのかということを、相手の立場になって十分に聞く。

そして両方の言い分の、どっちがより正しいか、それを人類全体の前に提示する。世界の世論の中で、歴史的事実、社会の道理に照らしてけじめをつける。戦の論理に持っていってはダメだ。

今、坂本龍馬がはやっているというけど、あの人は、自分の意見を前面に出してまとめるのではなく、相手の立場に立ってものを考える名人だったそうですね。それがあって薩長同盟など、あれだけのことができた。日本だって憲法9条を持っているんだからできるでしょう。

もう一つ大事なことは、国境です。人間どもが勝手に線を引いて地球を200以上にも分割した。国境を肯定すれば人間のわがままゆえに誰かがたくさん持ち、誰かが失うということが起きるわけだ。そうでなくて、地球にあるものは地球のものので、人間はそこにヤドカリさせてもらっているんだから、みんなで利用するというようにならなければいけないんじゃないですか。

北方四島の場合は、所有権がどっちだということは二の次にして、本来あそこに住んでいた日本人も、今住んでいるロシア人も両方で折り合う、一緒に暮らすということ。尖閣諸島の場合は、あそこから油が出る。そういう地下資源は地球のものなんだと、みんなで折り合う。

難しい問題だけど、歴史の歩みかたを根本から変えるチャンスだととらえればいい。人類の歴史を変えるんだというくらいの意気込みで日本国民が取り組む。そうなればアラブとイスラエルにも、韓国と北朝鮮にも、当然いい影響を与えますよ。

２０１１年２月21日

不思議な言葉づかい

作家の村上龍さんが朝日新聞文化欄で「私がさせていただきます」という言い方をする人が増えている、というようなことを書いていたでしょ。「自分が責任やリスクを背負わない言い方なんです」と。

朝日新聞の「声」欄にも、「はじめさせていただきます」と言う司会者がいるが、それは相手への敬意がありそうでなさそうで、へりくだっているようでそうでもなさそうで、という不思議な表現だという投書が載ってましたね。

たしかに最近、こういう日本語をよく聞く。村上さんや「声」欄の投書の通りだな。

「はじめさせていただきます」と言うと、まずみんなの同意を得てはじめますよ、という言い訳つきの、責任の分散でしょ。丁寧ぶって、親切ぶって、実は責任負わなくなったということだ。日本語がおかしくなっているし、責任逃れも増えているということよ。

言葉のおかしさはラジオを聞いていても感じるな。アナウンサーが「ただいまは○○がお伝えしました」って言っている。「○○が伝えました」でいいのに、わざわざ「お」をつける。それが相手を敬った表現だと思っているわけだ。

相手に伝えているのは自分でしょ。自分の行為に敬語をつけて、相手を敬っていると勘違いしている。たまに「○○が伝えました」とか「担当は○○でした」というのを聞くと安心するな。

この間は、非常に気になるラジオ放送があった。困っている海外の子どもたちを助けている立派なＮＰＯの団体を、大いにほめてたわけだ。それで、海外にいるその団体の責任者に電話をして話を聞いた。そのとき責任者は、困っている人たちを「彼らは」と言っていたんだ。

それはウソなのよ。現実に触れ、向き合っているなら、その人の名前なり、どこそこに住む13歳の少年とか、そういう、一人ひとりの顔が見える言葉がでるはずなんだ。「彼らは」なんて呼ぶのは、自分とは別の人だと線を引いて切っちゃっている。冷たいよ。

亡くなった戦場カメラマンの岡村昭彦は「同情は連帯を拒否したときに生まれる」って言っていた。戦場で、戦火に苦しむ民衆の姿を見て「なんて気の毒に」とか「かわいそうだ」って思っているときは、おれはどんなに惨めになってもこのようにはなりません、という時だと言った。それと同じようだ。

言葉は正直ですよ。「彼らは」と言う時は、その人は当事者になっていない。それでは物事は何も変わらないんだ。

２０１１年７月12日

実名で行動する社会

30年以上も前に、当時の文部省が全国の高校生５００人を集めて岩手県でボランティアに関する学習会をしたことがあった。その基調講演をやったんだ。

壇上で真っ先に「かわいそうな人に力を貸すという態度ならやめなさい」と言った。

それから、犠牲を払っていると思ってやったことは、必ず誰かを犠牲にしている。自分にとって意味があるから相手にとっても意味がある。自分が喜ばなければできない。そういう話をしました。今でも考えは同じだな。

ボランティアというのは、匿名では成り立たないでしょ。「こんにちは。何かお手伝いを」と訪ねていっても受け入れてもらえない。どこの誰かもわからない人をそのまま信用できないものね。

だから、東日本大震災のときに生まれた多くのボランティアセンターは、個人は受け入れず、会社とかグループとかの単位で受け付けた。そういう組織そのものが身元証明になっているからでしょ。

でもそうであればあるほど、堂々と個人として名乗って活動しないと意味がないと思うな。

日本は本来、武士が「やあやあ我こそは」と名乗りを上げる文化だった。それが名乗れなくなった。名乗ることで自分に対するマイナス現象が起こり得るから匿名にする。

そのために売れ残っている物を消費させようとする。それに一番効果的だったのが戦争なんだ。戦争というのは、いろいろ理屈をつけているけど、消費を拡大するための行為だと私は思っている。

私の調べでは、第２次世界大戦が終わった後、朝鮮戦争が始まった時も、ベトナム戦争、中東戦争、イラン・イラク戦争も全部、アメリカの失業率は８％以上だった。

しかし21世紀になって、その手が使えなくなった。今はアメリカの失業率は９％を超えているでしょ。でも戦争をやれない。今やれば原爆を使う危険性がある。勝った国、負けた国なんてあり得ないわけだ。それが歯止めになっている部分もあるでしょう。

アメリカは在庫処理ができずに大変な不景気になっている。株も値を下げ、ドルの信用ががた落ちになる。日本の円高対策もほぼ無力だ。経済の問題を経済だけで処理できないし、政治も政治だけで処理できない状況が世界中で起きている。そこに自然現象が重なって現れた。

近年の出来事に、人間がやることとなすことが過去とは違うんだ、という思いを抱いた人は、世界中に大勢いるんじゃないですか。

人間がどう生きなきゃいかんかを根本から考えないといかん時期がやってきたんです。これは世界が一つになるチャンスだと思います。原発事故や不況や大洪水が、アフリカでも中東でも起きると、その地の人たちも思えるようになったと思います。この間は世界80カ国で同時に、失業への不安や貧富の格差を怒るという同一テーマのデモが起きたんでしょ。人類みんなの問題を、みんなで解決するという方向に動き出したと思えるんです。いいね。

アホと閉塞感と異常スポーツ

２０１１年12月23日

今年もいろいろなことがありましたね。大震災はまた話すとして、ひどかったのは大王製紙の前会長が１００億円以上も使い込んだ事件ね。使ったアホもアホだけど、言われるままに黙って金を出した会社もアホだ。

本来は資本と経営と労働者の3者がそれぞれの立場で競い合って厳しくやっていくはずなのにぐしゃぐしゃ。オリンパスの借金隠しの買収もそうでしょ。資本主義が腐った証拠が表面化した年ということだ。

橋下維新が圧勝した大阪市長、府知事選は、ああいう結果だと思っていた。彼らがやろうとしている政策が支持されたのではなく、閉塞感が彼らを持ち上げたのだと思うな。

幕末に、民衆の不満が爆発して、朝から酒を飲んで「世直しええじゃないか」と踊りまくって、徳川幕府が倒れて明治維新が実現した。似たような結果になる芽が出ているのかも知れないな。

だけど考え方が浅い。期待はしていない。学校で「君が代」反対の先生はだめだとやるんでしょ。教育者にそれくらいの自由を認めないでどうするの。歌わず座っていたってどうということないじゃないの。

明治時代に、文部省が「君が代」を小中学校で歌わせようとしたときに猛反対したのは学習院だったんだ。

「辻君」という言葉があるけど、道の辻に立つ女郎のこと。『広辞苑』は「君」を「遊女の異称」とも書いている。だから「君が世は～」というのは「あなたの世は長く栄えますよ、ね、お客さん」とおだてててまた来てもらう歌とも聞こえるわけだ。「そんな歌を歌うなんて愛国心がない」となる。そういうことは知らないんだね。理屈なんてどうにでもつけられるわけだ。

北海道のスケート選手が家の中にテントを張って、そこで酸素を減らして寝起きしているのも話題になっていた。いい記録を出すトレーニングらしいけど、そういうのはスポーツって言えないんじゃないの。

スポーツは、健康を支えて寿命を長くして豊かな生活を送るための訓練でしょ。ただタイムを短くするとか、高く跳ぶとかじゃ見せ物じゃないの。それで記録出しても、見る者は感動しないもの。

ローマオリンピックで優勝したアベベは、特別の工夫も道具も使わず普段の生活通り裸足で走って優勝したから感動を与えたんだ。この間の福岡国際マラソンで日本人のトップだった人も同じ。定時制高校の事務職員で、近所の公園をジョギングしているんでしょ。

国籍を変えてまで出ようとする選手がいる今のオリンピックは異常でしょ。人類全体の体が健康になるにはどうしたらいいのか。すごい記録を出す人がいたら、その人がどういう暮らしをしたらこうなったか。それを学び喜ぶような形にすればいいんだ。

来年は日本が率先して「国威発揚型のスポーツ遊びはやめよう」という年にしよ

うじゃないの。

政権チェンジ、国民が責任もつ

2009年9月9日

今度の選挙は、民主党が勝ったわけではないでしょう。これまで自民党がやってきた政治を、国民が我慢できなくなったんですよ。

まともに働けばまともに暮らせる「幸福の平均化」がガラリと変わって、豪華に暮らす少しの連中と、たくさんの貧乏人が生まれた。頑張って生きてきたのに安心安全なんてどこにもなくて、道を歩いていただけなのに殺されちゃう。そして、アメリカが中東に油を持ってこいといえば持っていき、巨額の税金を使ってグアム島に米軍の兵舎を建ててあげようという対米追従。こういうことへの不満の爆発でしょう。小泉郵政民営化の時のブームというのとは違う、根深い変化だと思いますよ。

でも、日本の政治をここまでおかしくした第一の責任は我々国民にあるんです。一生懸命頑張っていながら、なぜ本当に喜べる政治状況をつくれなかったのか。そういうことを考えもしなかった。

国民主権なのに国民主賓のつもりになって、投票さえすればごちそうを食べさせてもらえるなんて、ばかげたことを思った。主権者というのは時代に対して自ら責任を負う人間のことですよ。そこの間違いを国民は直さないと。まさにチェンジ。自分で動かなきゃ善政もないんです。

どう動けばいいか。国会とか政治の前に職場や隣近所や家庭で語り合うことです、不平でも要望でも。どんな世の中がいいか。税金集めて何をやるつもりなのかと声を出し合う。それを政党にぶつけるんです。

民主党がやらなければならないのは、国民から集めた税金を国民のために全部使うこと。政治のひずみとか年金問題の乱脈ぶりとか、あらゆるものを国民に正直に言うことだと思います。自民党は言葉でごまかしすぎたものね。そして最も大事なことは、国民に一緒に働いてもらうことですね。そこで我々の職場などでの話し合いにつながってくるのです。

政党は、地方支部の中に根を張って、それらの意見を聞く。我が党は何をもって応えるかということをやるべきだな。国民と政党のぶつかり合いね。職場や家庭を、人間の意思を集めて努力する場に変えていくんです。

もう一つ民主党がぜひやらなければならないのは、米中ロと等距離に仲良くして日本の平和思想を説いて戦争のない状態をつくること。第3次世界大戦が起こるかどうかは、この3カ国が決め手だから。

今回の選挙を、そういう方向に歩み出す転機にしないとならないな。それができるかできないかは民主党の問題であると同時に、それ以上に主権者である国民の側にあるということですよ。

今の若い人たちは、将来の目標に政治家を挙げる人はほとんどいないでしょ。この間高校生に聞いたら「だって不潔で汚いもの」と言っていた。これから、政治家志望の子どもが出てくるかこないか。それも今後の我々の動き次第でしょうね。

2012年5月18日

気休めの「絆」は要らず

2011年を表す字として「絆」が選ばれたでしょ。私はあまり賛成できないな。震災で、人と人とのつながりのありがたさ、連帯の必要性を感じてそういう字が選ばれた。それは、これまでの現実がそうではなかったということでしょ。いろいろな関係が全部バラバラになったという悲鳴だったんだ。

絆が切れて大変だと言うなら、なぜそうなったかの原因を考え、じゃあどうしよう、というところまでいかないとならないじゃないですか。それをせずに字を選んだだけだ。要するに、状況の説明をしただけで、問題に取り組んではいない。自分自身の問題に引き戻していないんだ。

これは大変だ、何とかしなければいかんと本気で考えれば「絆」という字ではない字を選んだはずですよ。

しかし、切れた絆は戻すしかない。そう考えた人の中に、従来とは違う新しい人間関係を作らないとならないと言い出した人がいた。血のつながりがなくても、他人であっても家族のようなつながりができるはずだという意見だ。

一見よさそうだけど、そういう意見は気にくわないな。目先を変える話題程度だ。私は国境をなくして世界が一つにならなければダメだと思っているけど、夫婦や親子、隣近所というものの絆は、ほかのもので代用できないとも思っています。代用しちゃダメなんだ。そこでまず絆を作る努力をしなければいかんじゃないのかな。それが欠けているから、親が子を殺したり、子が親を殺したりという寒々しい事件が起きるんだ。

それを高度経済成長とかバブルに結びつけて説明する人がいるけれど、もっと前の、戦争を始めた時点がスタートなの。

500万人の男が兵隊にとられた。死者がたくさん出た。そうすれば家庭は壊れちゃうんですよ。男が抜けている社会で親子とか夫婦とか、人間関係がぐちゃぐちゃになるのは当たり前でしょ。学生も戦地や、徴用で軍需産業に行って教育も何もない。社会から絆が消えちゃったんだもの。

元の平凡なところにもどればいいんだよ。それを「絆」という字を書かせて反省したようなふりをしている。それだけで日本の状態は変わるはずはないのよ。「絆」に代わる字は何でしょうね。「縁」でもないでしょうな。もう一度、絆を自分らで作り直す、復活させるという努力をする中で、新しい言葉が出てくるんじゃないですかね。

そうなって初めて、血のつながりを超えた新しい生き方の話が出てくるのじゃないの。

こんな安くて生活が成り立つのか

２０１２年６月15日

私はあと2年半もすれば１００歳になるほど長く生き、いろんな人を見てきて、はっきり言えることがあります。自分を粗末にする人は必ず他人も粗末にする、ということです。逆に、自分に責任を持つ人は他人に対しても責任を持つ、と。

4月に関越自動車道で大きなバス事故がありましたね。金沢市から東京ディズニーリゾートまでが3千数百円という格安ツアー。あの事故のことを考えていて、そのことを痛感しました。

自分自身をいかに大事にするか、責任を持つか。これが人間の分かれ道だということです。厳しく言えば、バス事故に遭った人は、自分を大切にしていなかった、と言えるんじゃないですか。

現代は、安ければ何でもいいというムードがありますでしょう。買う方も作る方も売る方も。

昔から農家も食堂も、どれだけ安くおいしい物を提供できるかというところに熱意を注いでいた。それに加え、客の健康とか喜びのこととかまでも考えていた。だから、自分の仕事に誇りを持っていた。それがだんだん金もうけ本位一点になった。消費者が、安ければいいと求めたことが一因です。だから、手間のかからない農薬漬けの野菜ができて、保存料たっぷりの菓子ができて、結局は自分の体に影響が出ることになる。みんなが自分を大切にしていれば、こんなものはできないんだ。

私が子どものころは「安物買いの銭失い」と教えられたんです。安い物は粗悪品が多くすぐ壊れる。高い方が結局は長持ちして安上がりになるという格言だ。

今は「安物買いの命失い」という恐れを持っていることを考えないとだめだ。結局死んだり傷ついたりするのは自分自身ですから。もっともっと自分自身を大事にしないとならない。

そうすると「こんなに安い運賃で僕らを運んで運転手さんは生活が成り立つのか」という考えにつながるんです。どこかで無理な運転をしているのだろう、と思うわけです。そして、危険だなと感じ、自分を守るのです。自分を大事に考えている人は他人も大事に考えるとはこういうことです。そして、きっとどこかで無理な運転をしているのだろう、危険だなとも思うわけです。

運転手やバス会社や旅行会社を非難することは当然だけれど、自分の利益に対して、最も重い責任を持つ最後の決定者は自分だということを忘れちゃダメなんだということです。自分を大事にすることは、エゴイストとは違うんです。

人間は昔も今も将来も、一人ずつ生まれてきて一人ずつ生きていく生き物なんです。集団で生まれてくるんじゃないんです。だから生命、財産、生活については自分自身で責任を負わなきゃいかんわけです。そこの土台の部分を見失ってしまった。しっかりと自分の二本の足で立たなければ。

歴史を変える「無名の力」

2012年10月19日

国会を取り巻く金曜デモね。あれを見ているとアラブの春を思い出しますね。通底するものがあるんです。時代の動き、歴史が変わってきたということですよ。

戦争というのは国と国が武力をもって戦う。内戦は政府と反政府とか、部族と部族とか。いずれも権力者同士の戦いだ。

だがアラブの春は違った。最初に起こったチュニジアの「ジャスミン革命」は、失業中の青年が、街頭で売ろうとした野菜を警察に没収されたのに抗議して焼身自殺したのが発端だった。

彼と似たような、どこの誰だかわからない若者が3万人も5万人も広場に集まって、政府側が鉄砲撃ってくるのに石を投げて抵抗した。リーダーが「あいつを倒そう」とやったのではなく、みんなが「あいつを倒そう」とやった。

それが瞬く間にヨルダンやエジプトなど他のアラブ諸国へ伝わった。完全な独裁だと思っていたリビアのカダフィ体制も倒された。

もう一度言うと、これは革命家が出てきて、ああだこうだと言って民衆を動かしたわけじゃない。偉大な宗教家が出てきて「みなさん」とやったわけでもない。仏さんも神さんもいない。みんなが、目の前に起きたことをみんなの問題としてとらえ、みんなで解決しようと動いたということだ。人類史上初めてのことと言っていいでしょう。

それは、人間に共通する苦しみや悩みを克服するには、みんなの力を集めなければだめだというところにつながる。世界が成熟していったんだと思う。そういうものがどんどん動き始めた時代じゃないですか。

そうなったらもう、隣と隣にどんどん伝染していったでしょ。インターネットの力だな。情報が空間を飛んでみんなのところにいった。

日本だって同じですよね。今度の東日本大震災でもそうでしょ。有名な団体とか政治家とかが動かなくても、あっちこっちでいろいろな支援の動きが続いているもの。

「無名の力」が発揮される時代になったわけだ。それが実感としてわいてくるな。人類が始まって、神様とか英雄につくってもらった国家や体制はみんな失敗した。中国もロシアも、当初掲げた共産主義体制は実質的に滅びた。アメリカのリーマン・ブラザーズという会社がつぶれただけで世界中の経済ががたがたになって資本主義体制も崩壊した。

人類の歴史が折り返し点に来ているんだ。その前半が終わって後半に入った。いよいよ新しい人類史の始まりですよ。これまでの経験をしっかり生かせるかどうか。人類は試されているな。

人間が逃げ出さないために

2012年11月2日

・iPS細胞を作った山中伸弥さんがノーベル賞をもらいましたね。脊髄(せきずい)損傷などの重い病気の人は、生きる希望が見えたって喜んでいるでしょうな。私なんかはそれが実用化されたら目だな。右が70歳の時、左が90歳のころに眼底出血して視力は0・01くらいだもの。もし網膜が再生されたらひどくありがたいことだと思っているんですよ。

でもちょっと待った、だ。生命が、人間から生まれるのではなく、精子も卵子もなしに人間の手で作られる、ということにつながっていくわけだ。それが許されるかどうかという問題でしょ。科学はどこまで何をやっていいかを考えないといけないということです。

科学は、無限の可能性を開拓することに挑戦してきた。人間の能力の可能性を極限まで伸ばして、その対象がどうなっていて何ができるかに向かってきた。宇宙に行って帰ってくるとか、月がどうなっているかとか。

しかし科学というものは、ここから先はやってはいけない、とストップをかける機能がないといけないと思うんです。そうせずにしくじったのが原子力でしょ。無限のエネルギーといわれて開発され、平和利用といいながら、歯止めもないまま爆弾を作った。放射性物質は人間の生命に際限なく害毒を与えるとはっきりしていたけど、処理方法も見つからないまま使い続けてきた。

今回の震災では福島で事故が起きてしまったが、何も手が打てないでしょ。人間は逃げ出すだけだった。

さらに言えば、あらゆる肉体の部品が作れて、生命そのものまでできる可能性のあるiPS細胞は、科学研究の枠をこえたところにいっていないか。要するに、医療産業活動になっているように思える。早く言えば銭もうけだ。政府なんて経済活動があちこちで行き詰まっているから、「これはいい」ってすぐに研究予算をつけたでしょ。

そういう姿勢を見ていると、非常に危険な過ちを犯す恐れがあるという気になるわけです。人間救済から逸脱していくんだ。人間の尊厳ということなんて考慮もせずに。

そういう問題が絡んでいるもんですから、それを許せるかどうかは人間みんなが意見を言い合って決めないとならないと思うんです。政府とか学会が決めるというような問題じゃないですよ。

我々が、人間の通常の良識から考えて「これはいいことなのか」「許されることなのか」と納得いくまで時間かけて討論すべきじゃないですか。その結論が出るまで研究を急ぐべきではない、と私は考えています。

命の選別は許されない

２０１２年11月16日

新しい形で赤ちゃんの出生前診断をしようという動きが出ているけど、これは怖いことじゃないかな。今の段階ではやるべきではない、と私は思うな。

胎児のＤＮＡを解析して、こうなる可能性があるとわかるだけだ。断定できないというその段階で、産むか産まないかを親に選択させるということになる。

そこには、正常な子はいいですよ、異常な子はだめですよ、という前提みたいなものがあるでしょ。何を持って正常と言うんですか。

みんな「ある基準で正常」と選別していくと、全員同じようなことを考える子が生まれ、同じようなことばかりする世の中になるような気がする。言い換えれば、全員同じ顔。そういうことが起こりうる。おそろしいじゃない。危険なことじゃないですか。

日本は太平洋戦争中、子どもたちをみんな「良い子」と「悪い子」に選別した。国定教科書も「よい子の国語」「よい子の算数」。良い子になりなさいと言って、悪い子には罰を加え、みんな政府の言うことを聞く良い子を育てた。

こういう選別は、我々も何げなくやっているんだ。「隣の花子ちゃんは偉いぞ」って自分の子どもに言っている。周りの子と比べて「だからお前も」と言う。これがいかに子どもを傷つけるか。

こんなふうに比べることも一つの選別だ。差別とは、いい物と悪い物とを分けるところから生まれて、それが迫害につながっていくんです。

「選別」社会が進めば、「目が見えない子が生まれそうだからやめましょう」なんてことになる可能性も出てくる。

私は全盲のピアニストの辻井伸行さんの演奏を聴いたことがあるけど、恐ろしくすばらしい音だった。もしかすると、ああいう才能がすべて葬り去られるかも知れないんですよ。

ともかく私は、可能性を持った生命体がおなかの中にいる間に、いいとか悪いとかの選別をすることは許されないと思うんです。生まれることさえ許されないのはおかしくないかい。人間が人間を裁くということです。あまりにも人間の思い上がりがひどいよ。

以上が私の意見だが、行きつくところは「人間とはなんぞや」ということだ。この問題をどう進めるかを人間みんなが一人ひとり、よくよく考えないといかんと思いますね。

愛情ある体罰などない

2013年2月8日

大阪の高校バスケットボール部から始まった体罰についての問題が、いろいろ報道されているけれど、足りない部分がある。そこについて俺の意見を聞いてもらいたいんだ。

一番大事なことは、教育のとらえ方が間違っているということです。エデュケーションは日本語で教育だ。大人が、小さい子どもの面倒を見て教え、育ててあげるという解釈だ。従って厳しく教えるために殴るのはやむを得ないのじゃないか、という意見が出てくる。それが違うのよ。

エデュケーションの語源はエデュカシオというラテン語なんだ。引き出すという意味だ。年長者が年少者の内面に潜んでいるものを引き出す。いいものがあれば伸ばし、悪いところがあれば直すということだ。押さえつけるんでも導くのでもないの。逆に年少者が年長者のいい面を引き出すこともあり、両者は対等なわけですよ。

要するに体罰は、愛情あってのことだとか、行き過ぎた情熱だとかいう議論は、出発点からもう違っているんです。懲らしめは教育行為には入らないんです。上下関係が入ったら教育は壊れるんです。お互いが協力して引き出し合う共同学習でないと教育とは言えないんです。このことを、教育界全体がしっかりとらえていないんだ。

ただ、先生と生徒は「対等」であるけれど、人生の先輩後輩ではあることは確かなんだ。生徒は先輩の生き方を見て学んでいるんだ。「あの本はいいよ」といえば「そうなのか」と買ってきて読んだりする。

そういう関係なのに、早期退職しないと損だとなれば卒業式を前にやめちゃう姿を平気で見せる先生が出てきている。みんなじゃないだろうけど学校サラリーマンになっちゃっているということでしょ。

今度の場合は、体罰を知っていた同僚がいたのだから、それについて教員同士で話し合わなければならなかったんじゃないの。当然、意見を言わなければならない教職員組合も黙ったような状態だ。管理職も何も手を打てず、助け合うべき子ども同士も黙っていた。教育委員会もPTAも同じで、みんなが本来の役割を果たさなくなったということだ。

原因は、我々の中にあるんだ。今回の問題の元となった大阪の学校は、スポーツで売っていたんでしょ。勝てば勝つだけ学校の人気が高まった。「あの高校に入りたい」って親や生徒が寄ってくる。そうしてくれた先生は、学校経営側からすれば花形でしょ。校長も副校長も文句を言えないわけだ。

スポーツ以外でも同じ。みんな、父母の期待に応えてできあがっていった学校なんです。そこに問題点があるんです。

2013年3月1日

石坂洋次郎先生の気迫

私が秋田県の旧制横手中に通っていた1932（昭和7）年ごろ、後に『青い山脈』や『若い人』で大人気作家になった石坂洋次郎さんが先生でいたんだ。体罰を許さない先生だったな。

旧制中は5年制で各学年は150人。生徒会が主導する全校生を対象にした風紀検査が1週間に一度あった。5年生が、4年生までの600人を体育館に集める。そこで「お前たちの1週間はこうだった」と気合をかけるんです。そして必ず「4

年3組の高橋。この間、道を歩いているとき女学生に色目を使っただろう。当校の恥だ」と言って前に呼び出し、こづいたり蹴ったりするんだ。

その集会を先生が一人、様子を見に来るんです。5年生は先生のあだ名を連呼して「引っ込め」って騒ぐ。そうするとほとんどの先生はばつ悪そうに引き揚げた。石坂先生は体も声も小さい。夜に飛ぶ蚊みたいなもので「夜蚊」というあだ名があった。「石坂洋次郎、今はまだ昼だ、引っ込め」なんて。でも帰らず、逆に前の方に出てきた。この気迫に押されて生徒たちはののしれなくなっていたな。

石坂先生は、多数の上級生が、一人の下級生を引きずり出すようなことをやってはいけないという気持ちを持っていた。それを伝えるため、自分の全部をかけてあいう態度を取っていたと思う。だから人気があった。特に成績の悪い連中にな。解放感を与えるんだ。

国語と作文を受け持っていて「死」という1字をテーマに作文を書け、といった授業をしていた。「叔父に就職依頼をするときの手紙」なんてテーマもあった。

子どもたちにものを考えさせる授業です。出てきたものに先生がまた自分の人生を重ねて語りかけるわけだ。教師が本気になれば皆一生懸命聞くよ。人生の先輩だもの。今はものを覚えさせるだけでしょ。マニュアルばかりで魂が入っていないもの。

それから教練という授業があった。軍人が365日在校して、週2回の訓練をやった。秋田市の連隊で兵隊と一緒の訓練もした。学校に射撃場造って、鉄砲を渡され弾も撃ちました。

全国高校野球でも戦時中（当時は全国中等学校野球）は国が主催に入ってきて、「宮城遥拝」や「英霊への黙禱」などもしたんでしょ。国が教育に口を出すとこうなるんだ。戦争に向けて、将来の軍隊に入ったときの下準備だったり、戦意発揚だったりに使われるんだ。

今の教育や教師は問題が多いと思いますよ。でもそれに国や市町村が口を出すのはもっと問題だ。青少年が国や市町村の財産として管理されちゃうもの。教育委員会は絶対に独立していないとダメです。

2013年8月3日

たったこれだけで「自民1強」

今回の参院選を、日本が絶望に向かうのか希望に向かうのかどっちだろうと見ていました。結果としては、希望には向かっていないというところでしょうな。

まず投票率。どのマスコミの世論調査でも、投票に行こうと思っている人が9割くらいいたでしょ。それが実際に行ったのは約53%。選挙は大事だと考えていたにもかかわらず行かなかった人が4割近くいたわけです。このままの政治が続いても日本はよくなるとは思えない。しかし、じゃどうすると対策を示した政党もない。入れる政党がなかったということでしょうな。

ともかく約47%が棄権した。自民党の得票率は、投票した約53%のうちの約38%。有権者が100人とするとそのうちの約20人です。たったそれだけの意見でこれからの日本の行く末が決まり、80人の意見は捨てられる。こういう選挙制度を吟味しないとならないことははっきりしたね。

本当に国民の気持ちを反映するには、投票率が8割に達しないときは、何度でもやり直す。その間行政が滞ろうが、それは投票に行かない国民の責任だ。そういう仕組みにするなど、何か考えないとだめだな。

低投票率は、世の中に期待を持っていないというムードもあるんでしょう。でも不満を感じたままで行動を起こさなかったら、報いは必ず出てきますよ。

それからねじれ。解消してよかったと思っている人が多いようだが違います。自民党のわがままを許すことにつながる恐れがある。戦後約70年の政治の大半は、ねじれがない中で自民党が運営してきた。それであまりにひどくなって民主党に期待したが失敗した。今の社会は自民党が作ったんです。それを民主党やねじれのせいだと国民が誤解している。

それから政権交代可能な二大政党というのも無理だ。人間は十人十色。10のグループがあるのが普通なんだ。それを2色にまとめようなんて。いろんなグループがテーマごとに手を結べばいい。それをすくい取るのが政治だ。これからはピープルの時代よ。

何よりも懸念されるのは、「自民1強」になって、安倍（晋三）内閣が図に乗ること。戦争というものの実態を知らない若い政治家が威勢のいいことを言って、軍国日本に戻る危険性が高まった。そう思える。

このような現状をつくった第一の責任は我々、戦争を体験している大人にあります。私は間もなく100歳だけど、それを考えるとまだまだ死ぬわけにはいかない。130歳まで生きて、どれだけ戦争がひどいものかという実態を語り伝えなければいかんと真剣に思っているんだ。

ゆるキャラ

２０１３年10月18日

ゆるキャラっていうのがはやっているようですね。ものすごくたくさんあるそうじゃないですか。あれは楽しいブームじゃないな。どこか陰性で喜べないんだ。

明治の初期に日本に来た外国人が「貧乏人はたくさんいる。でも貧困はない」と言った。継ぎはぎだらけの汚い服を着た子どもはたくさんいるけど、みんな元気でにこにこ走り回っていたんですよ。ところが今は、継ぎはぎだらけの子はいないけど、元気に走り回っている子の姿もなくなった。ゆるキャラブームはそこら辺と通底しているな。

戦争が終わった１９４５年から20年間くらいは、日本人は死に物狂いでした。あのころもまだ貧乏人はたくさんいたけど貧困はなかった。工夫して助け合って生きてましたよ。それがだんだん、物質的に豊かになって１９７０年代になると、国が、教育とは「人的資源の開発」と言い出した。人間を経済活動の資源として開発するために教育はあるということだ。

人間を本気で尊重してないのよ。人権に対してひどく鈍感なんだ。終戦まで使っていた明治憲法で、我々はどう呼ばれていましたか。国民じゃないんです。臣民ですよ。権力者に従属する家来です。

現行憲法に変わっても、いまだ日本社会には、人間尊重、男女平等が根っこをはっていない。血の流れる本物になっていないんだ。だから大企業の中に、社員を退職に追い込むためとしか思えない「追い出し部屋」なんかが生まれる。

オラは98年生きてきて、一番情けないと今でも思っているのは、子どものころ、大人が町内の相談会やっている所に行くと、必ず誰かが「オラたちみたいなのが何言ったって始まらない。そろそろやめてどぶろくでも飲むべ」って言っていたことだ。

その言葉を聞くと、こちらは小学4、5年生だけど「情けないおやじどもだ。オラならなんぼなんでもこんなザマやらない」と思ったものだ。問題に対して真正面からぶつからないで、すり抜けるんだ。

ゆるキャラというのはそういう役割だな。人間の心の中の空洞のようなものを満たそうとするもだえ、あえぎがああいう格好で表れているんじゃないですか。現実があまりに厳しいのですり抜けてどっかで癒やされたいと。だから見ているとわびしいなって感じる。

人間というのは、苦労があっても大切にされているという基本がしっかりしていれば寂しさや不安はない。大切にするというのは相手をしっかり見てしっかり耳を傾けることです。

それをしないで、すり抜けたりすり替えたりするから自分勝手な解釈しかできない。そして心が取り残され、癒やしを求める。本気でぶつかり合えばいいんです。それが人間尊重のスタートです。

入学式を欠席した教師

2014年6月6日

埼玉県で、県立高校の教師4人が、入学式を欠席した問題が話題になりましたね。自分の子どもの入学式に出席するため、というのが欠席の理由でした。これについてブログなどで議論が噴出した。

社会人の常識からすれば、自分の子どもの入学式の方が大事だという考えは出てこないはずなんだが、擁護論が随分あったんでしょ。そこが一番の問題だと私は思いましたね。

休んだ理由を先生は、夜遅くまで塾に通う子どもの送り迎えをして、一緒に受験を戦ってきた気分だから一緒に喜びたいと言ったようだが、それは身近な家庭や親子という関係が、教師と生徒の関係より大事だと考えたわけだ。そこには社会というものが飛んじゃっている。

つまり、子どもは、自分の子であると同時に社会の子であり民族の歴史の流れをつないでゆく子だとは考えない。教師は、学力も含めて生活全体、人間そのものを耕す役割を担っているという自覚も感じられない。自分の子さえよければいいという考えにつながる。入学式に行ったら、自分の担任が休んでいた生徒たちは寂しかったと思いますよ。

教師は子どもに「今日は勤め先の学校でこういうことがあるので、お前の入学式には行かれない」と話せばいい。子は「学校なんか行かないで私の入学式に来てよ」なんて言わないはずだ。勤務先を休んで自分の入学式にきた親を尊敬するのでしょうかね。

こういう問題は全国の学校やＰＴＡが、真剣に話し合わないとダメだな。誰かが結論を出すのではなく、学校とは何か、教育とは何かを職員会議でも徹底的に議論する。そこには必ず、五分五分ではない、一つの方向がでてくるはずですから。

しかしなぜ、本来の仕事を放棄して我が子のために学校を休むという教師が出てきたのか。そしてその教師を支持する人が大勢いるのか。私は、社会が当てにならなくなったためだと思いますね。社会や国が、生命や財産を守ると、これまでずっと信頼してきた前提が崩れたということですよ。

隣近所とか地域とかの役割も機能しなくなった。学校内でさえ、いじめなどがあって、子どもを守ってもらえない。社会が信用できないから、自分らの命は自分らで守る。そう考えているうちに、自分勝手でバラバラ現象が起き出したと考えられるんじゃないの。

でも人間は集団で生きていた生き物です。支え合って生きてきたんです。それが崩れると、社会がますます無力になります。そうしないためにも、この件を国民が徹底的に議論する。信頼に足る社会を取り戻すには、それしかないと思いますよ。

２０１４年６月20日

アイドル握手会の心寂しさ

今度の「再思三考」（朝日新聞連載の題名）のテーマは、岩手県滝沢市でＡＫＢ48

のメンバーが握手会中に切りつけられた事件のことだと言われたので、ちょっと調べてみたんですよ。ファンには30代から40代の人も結構いて、日本人全体が幼くなってしまったのかという問いかけでしたが、そう簡単にくくれるような話じゃないなと思いましたね。

30代から40代の人が生まれた時代は、70年安保から成田闘争、オイルショックなど日本が方向を見失った混迷の時代だったんです。親自身が将来の見通しの立たない暗い迷路の中にいた。そこで育てられた子が小学生くらいになった１９８３年にファミコンという家庭用ゲーム機が出てきた。子どもは誰とも話さず、１日何時間だけよ、と親から言われながらそのおもちゃで遊び、育った。そういう社会状況を引きずっているような気がするな。

つまり社会から離れて、ひとりぼっち感の中で育った。孤独感だ。大人になり、その空白を埋めようと、何か確かなものを探した。愛情とか確信とか希望とか、そういうものにつながる何かを。

それは、中途半端なものじゃダメだったんだ。アイドルの歌や踊りだけじゃ埋まらなくなった。肉体の実感で、感じ取れるもの。それが、高いお金を払ってまで握手券を手に入れているということじゃないですかね。

先日も、声優と楽屋で会えて握手できる応募券がついたお菓子を30万円分も買って、菓子は食べずに捨てたという出来事がありました。私も講演をすると、握手を求める人や、抱きしめにくる人が必ずいますものね。

これらを幼いとか馬鹿臭いとかで片付けられないわけですね。国民の中にそれを求めるムードがあるわけですから。

それだけ心寂しい人が増えたんじゃないですか。そういう状況が蔓延したとき、かつては新興宗教に向かった。オウム真理教や統一教会などに、心のわびしさを埋めるよりどころを求めたんですね。

ところが今は新興宗教じゃ、埋められなくなった。言葉だけじゃだめだということでしょ。体に触れてみたいんだ。そういう確かな連帯を実感したいんだ。それほど心細くて、自分を支えてくれる、手応えのある生き方を探し求めているわけだ。

しかしそれは、いかなるものに求めてもかなえられません。哲学も道徳も聖書も仏典もいらないんだ。自分を励まして自分を元気づけるものは自分しかないです。

私は人です。人だからこれをやります、人だからこれをやりません。いつでもそこに戻るしかない。人間とは何かということを考えないとならない。自分自身に戻って自分自身が自分を支える以外にないんです。

自然に対して人はもっと謙虚に学ばねば

2014年10月3日

広島で土砂崩れが起きて大変な惨事になった。北海道でも豪雨が襲った。それを見ていて私は、これから何十年か何百年かの間に、想像もつかないことが起こり得ると思いました。

1日もしないうちに1カ月分の雨が降ったんでしょ。地球の自然現象の中で過去と違うサイクルができている。地球の構造そのものに変化が起きている。そういう状態が深刻に進んでいる。そんな気がするけど、それに対して人類は何の備えもできていない。一種の恐怖を感じました。

広島の惨事の原因は何か。一つには、本当は住宅地に適さないところだったのに、土木工事や建設技術が進歩しているので危険は取り除けた、という思い上がりがあったのだと思う。自然を克服したという、人間の思い上がりだな。

人間は、自然の動きと二人三脚でなければ生きていけない生き物なんだ。そのために思い止まらなければならないところがある。そういうことを考えなければいけないけど、科学に対する過信と、経済に対する過度の期待がそれを止めさせなくなった。もう少し謙虚にならないとだめだ。自然と仲良くならないとだめだ、と私は思う。

惨事の原因には、地球温暖化の問題もあるのでしょう。科学は、そこにこそ全力を注がなければいかんですよ。

北極や南極の氷が溶け出している。海の水が増えている。そうするとどうなるか。これと異常な雨との関係はどうなのかと。

水温が変わり、魚のとれる時期や場所も変わってきた。海水の塩分濃度が変わってくる。生態系にも影響が出てくるだろう。そうなると地球や暮らしはどうなるのか。そういう調査研究こそやらなければならないでしょ。それらは金もうけにつながらないから進まない。そう見えますね。

南方では、島が沈むので島ごと移住するところが出てきているんでしょ。これは1国では解決できないから全人類の問題として取り組まないとだめでしょ。戦争なんてやっている場合じゃないんだ。

この問題が取り上げられるたびに必ず「こういう地球にしたのは先進国がわがままに石炭や石油を使ったからだ。責任はお前たちにある」と開発途上国は言う。それが正論であるから、国連もあまり動けず、何も有効な手を打てない。産業活動と生活のぜいたくが、地球に大変化を起こしている、という趣旨のことを言うけど、現実には何も進まない。

今は、人類が滅びるか滅びないかの境目だと思っている。だから、広島のあの災害現場を、きれいに片付けるのではなく、残しておくべきだと思うな。こんな石がごろごろ転がり落ちてきたんだぞっ、と記憶に止める。人間の思い上がりをいさめる場所にしてもらいたいね。

幼稚園・保育所を歓迎しよう

2015年5月15日

この間、幼稚園か保育所かを作ろうとしたら、「反対運動」が起きたというニュースがありました。テレビインタビューに年配の女性が「静かな住宅街に子どもが来るとうるさくなって困る」と答えていました。それを聞いて私は、大人がますますわがままになっていると思った。人間として救いがたい堕落だと。きつく言えば、人間失格だと思った。

私が一番言いたいのは、乳幼児の泣き声や笑い声を、騒音、雑音と言っていることです。電車や工場の音のようにとらえていて、生命というものを感じ取れていないんでしょ。

幼い子がいるというのは、それだけ未来が豊かだということです。普通の人間ならば本能的に幼い子の声の味方をするんだ。そして、泣いているな、笑っているなと感じて、わめき声を聞いたら「何かあったんじゃないか」と心配する。

それをうるさいと言って拒否する。生命の叫びが、騒音にしか聞こえていない。その感覚が人間としてずれているんです。命を否定しているとも言えるんです。病んでいるんですよ。

自分たちはまるで生まれて一度も泣いたことがないような反対運動があったら、「賛成運動」が起きないとだめなんです。それが出ないところがまた問題で、そういう社会自体が命を失っているということじゃないのかな。

賛成派と反対派がいて、両者で話し合っていく。子どもが増えることで生命の躍動を感じるから、どうぞいらっしゃい、という声だって出てくる。その中で、どうしたらいいのかという処方箋もでてくるんじゃないですか。

こういう問題が出たことは、そこまで人間がおかしくなったと気づかせてくれたとも言えます。ありがたいことじゃないですか。

子どもたちが通園するときに、近所の人が花に水をあげながら「おはよう」と声をかける。子どもたちはそれに応えて返事をする。そして自然に挨拶が広がっていき、地域全体が仲良くなっていく。

幼稚園があって、いろんな人が住んで、子どもの泣き声が聞こえてこそ地域として生きていることがわかる。

そうなれば、あそこはすてきな地域だということになるでしょ。生命力があふれ、生き生きしていると。地域の価値も高まるんじゃないですか。

子どもの声なんて、実際そんなにうるさくないよ。大人の怒鳴り合いや夫婦げんかと比べれば、音楽みたいなもんだ。幼稚園を歓迎しましょうよ。

な

第4章　東北と沖縄と

嵐は、たいまつを消すことができる。だが、たいまつの炎々と燃えるのも嵐の夜。

一九七八・一〇　むのたけじ

東北の地に「光」求めて

２００９年１月16日

オラが、ふるさとの秋田県横手市に戻ってきたのは１９４８（昭和23）年の元旦です。大みそかに埼玉県の大宮駅から夜行列車に乗って、朝７時くらいに着いたの。すごい雪でね。

そうして２月に週刊新聞『たいまつ』を創刊したわけだ。自分の身を焼いて暗闇を照らすたいまつになる新聞をつくろうという意味を込めてね。

新聞を出す、と言ったら「じゃ金を出すから名古屋でやってくれ」と言う人がいた。でもふるさとを選んだ。同じやるなら生活の言葉、方言で通じ合うところがいいと。東北人というのをすごく意識してましたからね。

創刊号でオラは「東北に光りの射す道は、冬というものが重い負担にならない生活をつくることだ。産業ならば雪国でなければできない産業へと生産分野を切りひらいてゆくことである」と書いた。

時代は変わっても、東北の自然条件はそう変わっていないから、主張の大筋は今も同じだ。

最近は、雪の寒さを利用して発芽を遅らせた農産物が出てきたり、陰の部分に光をあて出したなと思っている。

青森県弘前市生まれの作家石坂洋次郎さんが創刊のお祝いに書いてくれた文章の題名は「東北の人々へ」だった。

私は石坂さんの、旧制横手中学時代の教え子なので、一文も金払わないで書いてくれた。

民主主義の大切さを訴えた内容だ。男女同権や基本的人権の例をあげて「自分たちの家庭生活の中で生かしてほしい」と書いている。

当時は「立ち遅れた東北」という劣等意識が、東北には強くあった。石坂さんはそれを何とかしたい、と書いたのだと思う。私の周囲の多くの人も劣等感をもち、何とかしたいと思っていた。

そういう点で、東北はひとかたまりだったの。そのころの東北の人たちが「オラたち」と言うときは、その先は秋田県人でも岩手県人でも日本人でもなく「東北人は」と続いていたものな。九州や四国、関西などは、地域名として呼ばれることはあっても、そのあたりが違うのよ。

デモクラシーの夜明けに

2009年1月23日

東北の劣等感がどこからきたかというと、千数百年にわたってひどい扱いを受けてきたことからきているわけです。言葉で言えば国内植民地だな。

奈良、京都に王朝ができてから、ずっと蝦夷（えぞ）の国でしょ、奥羽でしょ。中央政権からみて最果ての奥地だったわけだ。

それに抵抗する蝦夷（えみし）の乱も結構あった。そして徳川幕府になり、明治政府になって変わったかというと全然そうじゃないの。「道の奥」のまま。一山百文（ひとやまひゃくもん）。

オラは1932（昭和7）年に東京外国語学校（現東京外国語大学）に入った。家では新聞なんてとってなかったから読んだことなかった。東京で初めて見ると、毎日のように東北の娘たち5人、10人と小さな風呂敷包みもって、上野駅に到着した写真が載っているの。

記事は「貧しい親を救うけなげな娘」というニュアンスも入った「悲劇美談」になっている。でもそんなんじゃない。貧しい東北の象徴だったのよ。小作料を払うために身売りした娘たちよ。

後で調べてみると、大学出の月給が40円から50円のとき、彼女らは安ければ10

0円、高くて200円ぐらいで2年間、縛られるわけだもの。結核で戻れない娘もたくさん見てきたし、つらかったな。

もう一つ、つらかったのは方言。東京の人間は東北弁を馬鹿にしていた。オラも入学して最初に「東北の山猿が紛れ込んでいるぞ」なんて侮辱を受けた。方言を苦にして職場で自殺する人も出た。

石坂洋次郎さんは慶応大学を卒業したが、東北人ゆえに東京で就職できなかった、と言っていた。だからふるさとの青森に戻って学校の先生になった。日本全体が東北を一段低く見ていたのよ。そのことが、東北を離れたことで見えてきた。

そういう中で、1945（昭和20）年に敗戦を迎え、日本は「これからはデモクラシー社会だ。出直すぞ」となった。

デモクラシーとは、人間がまともな形で伸びていこうという思想なわけでしょ。我々には「東北の人たちよ、人間として誇りを持てる自分をつくろうじゃないか」という呼びかけの言葉に聞こえたのよ。

だから敗戦で、東北はひとかたまりになれたの。そうして、歩き出したのよ。

自分の足元を見つめ直す

２００９年１月30日

敗戦で東北の人たちは「東北よ」と手をつないだ。デモクラシーが叫ばれ「屈辱を受け続けた歴史から抜け出そう」と足並みがそろったのだと思うな。日教組などの労働組合運動が出てきて東北で連帯するようになった。生活つづり方教室なども生まれて東北に広まった。「奥羽山脈に風穴を開ける会」なんてのもできた。活発な動きが生まれたんだ。だけど、高度経済成長期まででしたね。

要するに出稼ぎが１９６０年代から始まるんです。１年間、田畑で働くよりはるかに多い収入を11月から３月までで稼ぎ出す。農民はこぞって出ていった。

それで農家は車を買った、家を直した、子どもを大学に行かせた。そしてほかの地域と同じようになった。そうしたら東北意識なんてすーっと消えていったのよ。

しかし最近、一つの動きが出てきた。東北を見つめ直そうという動きですね。京都や奈良、江戸から見れば、東北は辺境の地だったと言うが、違うんじゃないか。こっちの方がはるか前から栄えていたのじゃないかと。

85年ごろ、北海道帯広市で約９０００年前の集落遺跡が見つかった。竪穴住居跡が１０５棟も確認された。木の実とか貝とか魚とか、自然の生り物を食べていたと思われていた時代に、定住していた。何とかして食い物を自分たちで確保して子どもを安心して育てたいと、相当な知恵を出したんでしょ。

それから青森県の三内丸山遺跡。約４５００年前に５００人もが住んでいたっていうんでしょ。今の東京やニューヨークのようなものだと思うよ。しかも１０００年間も住み続けていたという。大和朝廷なんて影も形もない時代だ。やっぱりすごいね。

これらは、文化は南から入ってきたのではなく、北にも優れた文化があったという証拠になるわけだ。それをいろんな研究者が言い出した。そして「東北学」というようなものも出てきたのでしょ。

そういう点からしても東北人は、まず自信を持った方がいいな。今はグローバリゼーションなどと言って、地球単位でものを見る傾向にあるでしょ。遠方を見るだけじゃなくて、振り出しに戻って自分の足元を見つめ直す、掘り起こすこと。そこからスタートしたらいいじゃないですか。

同じ「東北」でも県民性はいろいろ

2010年11月8日

2009年、秋田県の北部で、山林をどうするか、地域をどうするかという勉強会があった。呼ばれていったそこで、60歳になる村のリーダーに「こういう話を聞いたことありますか」と聞かれた。県民性の問題だった。

青森、岩手、秋田の3県は隣り合っているけど気質が違う。昔の藩に合わせて、青森・津軽は「おれもやるけどおめえもやれ」ってにぎやかに力を合わせてやる。岩手・南部は「おれはできねがおめ頑張れ」と応援する。秋田・佐竹は「おれはやらねからおめもやるな」と足引っ張る。それをどう思うかと聞かれたのよ。

長く生きてきたけど、そういう比較は初めて聞いた。どの県でも自嘲気味に「足引っ張り」と言っていて、特に秋田県だけとは考えていなかった。それを時々思い出して考えていたら、思い当たることはあるな。

青森県はたしかに積極的だ。国家に頼らずリンゴを台湾などに売り込みに行ったり、コメがだめだとすぐにニンニクとか長芋を作って全国一になったり。こだわらないな。独立独歩の開拓精神で頑張っている。

岩手は、ヤマセ（夏、太平洋側に吹き寄せる冷湿な東風）による冷害でコメはやられて住民の生活は苦しい。徳川時代の百姓一揆が最も多いといわれている。苦しくて、歩調を合わせて一緒にはできない。でも「おれは抜けるが裏切らない。やる人がいれば後ろから押す」と。そういうことがあったのじゃないかな。

秋田は、佐竹藩が徳川幕府からにらまれていた。藩内に騒動があれば取りつぶしになる恐れがあった。それで、何かがあってもあまりいきり立たないよう上手にブレーキをかけるようになった。そういうことかも知れないと思った。

でも、東北というのは、一つだ。戦争にいくと「東北人」というくくりだ。そして「東北の人間は勤勉で勇敢」なんて言われて真っ先に前線に連れていかれた。本当は、貧乏で、軍隊いけば飯は食えるし、たばこの配給もあるし、小遣いもあるから喜んできている、と思われていた。馬鹿にされていたんですよ。

時代は変わったけど、みんなのＤＮＡの中に、東北が刷り込まれていると思いますよ。失ってしまった土臭さというようなものが残っていますね。大変なことがあっても、乗り切って生きてきたところに謙虚さが出てきている。そこに人間としてのすばらしさがある。

何かをやるとき、そういう「東北」というくくりでやってもいいのかなと考えている。新しい何かが見えてくる可能性があるもんな。

東北を支える「あばら骨」

２００９年３月27日

話を東北の歴史に戻しますとね、明治維新の時に、東北6県にあった藩はみな、徳川幕府についたのに、秋田藩（佐竹藩）だけが、薩長について勤王側になった。思想的なことがあったわけではないんです。藩主が徳川家に嫌われて茨城県から秋田県に流されてきた。その恨みで反徳川だったんです。

だから薩長の明治政府になったとき、秋田県人は「同じ東北でもオラたちは勤王だから政府によく思われている。いいところに就職できる」と大勢が上京した。しかし実際は、警察官になれたくらいなの。

夢やぶれるのよ。秋田弁をしゃべろうと津軽弁をしゃべろうと、みんな東北弁だ。十把一絡げ（じっぱひとから）で冷や水をかけられた。

そういうこともあって、明治時代の自由民権運動に関する雑誌の申し込みは、東北からが多いんですよ。四国から出ていた雑誌の読者カードを見たことあるんですが、相当いたもんな。

そのころも今も、東北で物や人が動くのは「あばら骨」のおかげだった。あばら骨とは、日本海側から太平洋側を結ぶ横の道です。

道路には二つあるわけだ。権力の道路と民衆の道路と。青森からずーっと南下する江戸へ通じる参勤交代の道が権力の道路。そうしてあばら骨が民衆の道路なんです。

これで山の物と海の物を交換する。物が動けば文化が行き交う。「奥羽山脈に風穴を開ける会」なんて若手がつくっていたけど、そんなことが分かっていたのでしょう。

今は新幹線ができてあばら骨が弱っているけど、見つめ直すことが必要じゃないの。

たとえば、ヤマセが吹いて岩手県などは冷害になる。しかし、奥羽山脈を越えて秋田にくるとフェーン現象で暖かい風になって豊作だ。そういう年はいっぱいあった。

稲作の運命が二つに分かれたとき、両者の物の交流はどうだったか。助け合いばかりではなく、助け合わなかったこともあった。その理由を調べる価値はあると思うな。

そのころの資料なら残っているんじゃない。それをたどってみると、隠されているいろいろな知恵が出てくる。東北の歴史、伝統、文化の奥行きが見えてくる。その知恵をどう生かすかということが、今後の東北の要になると思うわけよ。

小正月から農漁業を考えよ

２０１４年2月7日

小正月行事が東北各地で行われていますね。15、16日には秋田県横手市で「かまくら」があります。昔は、屋根から落ちた雪を家の前に集めて数人が入れるドームを作っていたんです。どの家でも作った。だからその数は世帯数とほぼ同じ。私が子どものころは３０００くらい。

その中でロウソクに火をつけるの。天井部は、酸欠にならないようにすだれ状。そこから天に向かって光が漏れ出る。幻想的な美しさですよ。

これは親子の合作でね。冬の寒さと家庭のぬくもりと、隣近所という小さな人間関係からできあがっていた伝統行事です。生活の喜びだった。

県北の男鹿半島には、「なまはげ」という伝統行事が伝わっている。怖いお面をかぶって家々を訪ね歩く。岩手でもスネカとかナモミなど同じような行事がありますね。「言うこと聞かない子はいるか」って脅して怠けをいさめて歩く。子どもたちに小遣いをあげて甘酒を飲む「かまくら」とはだいぶ違う。同じ地方の同じ小正月行事でありながらこの違いは何か。

私の考えでは、それは漁業地帯と農耕地帯の違いです。死に直面しながら1日単位で生きている漁業と、大地を相手に1年の単位で暮らす農業との違い。そんなに違うものを国は「第一次産業」としてひとくくりにして「農林水産省」という監督官庁をつくった。これでは不都合が起きる。諫早湾の訴訟合戦がその代表でしょう。

この事業はそもそも、食糧難を解決するための国策です。湾を埋め立てて農地をたくさんつくりましょうとなれば、湾内で生活する漁業に影響が出るのは当たり前。利益を得る者と、失う者の両方を、同じ官庁が対応している。

農水省から見ると、両方とも身内。「お前は弟なんだから少し我慢せい」といった気楽な感じで、元々無理な話をまとめようと考えちゃうんじゃないの。結局、働いている人たちをみんな困らせるだけで折り合いはつけられない。そういう組織にしたことをまず、国は反省しないと。

どっちにも言い分があってどっちがいいとか悪いとか言えない。農業にも漁業にも具合いい道があれば一番いいわけだが、見つからない。だから裁判所も、高裁と地裁がそれぞれ、湾を閉めた水門を「開けなさい」と「開けなくていい」という趣旨の対立する判決を出さざるを得なかった。

農水省ではなく、農業は農業省、漁業は漁業省と分けていたら、こういう問題は起きなかったと思う。

もう一度みんなが小正月行事を味わって、自分たちの生活の原点を考えて、そこから、最も大切な第一次産業をどうするかを考えないとならないな。

2010年5月24・25日

普天間問題を考える

国民よ、見物席を出よう

普天間基地移設問題を考えるとき、二つの面で、とんでもなくだらしないことをやっていると言わざるを得ないな。

一つは国民ですよ。まるっきり見物席から見ている傍観者でしょ。敗戦後ずっと「おれらは関係ない」と米軍基地を沖縄に押しつけてきた。それが自分の方に向いてくると、とたんに大反対。徳之島ではあの通り何千人もの反対集会で「絶対来るな」とやっているわけだ。

ゴミ問題と同じ。自分はゴミを出すけど、不衛生だから家の近所に処理場をつくるのは絶対いやだと。地域エゴイズム丸出しだ。まずこれがとっても情けない。

沖縄には5回行った。最初は本土復帰して間もなく、農協の職員の研修会に講師として呼ばれたの。

飛行機を降りてタクシーに乗ったら、会場に着くまでの1時間、運転手がずっと、基地のために沖縄がどれだけ痛めつけられたかを話し続けた。女学生が米兵に乱暴され、ぼろ布のように捨てられても文句一つ言えなかった、と。

彼は基地に勤めていたが首を切られた。基地内の「時速5キロ」制限の地区を7キロで走ったのが理由だって。彼が言うには、「そこには原爆が保管されていた。ちょっとの振動も与えてはいけない場所だった」。そんなものを隣に抱えながら暮らしている。胸が詰まっちゃった。

あとの4回は、普天間基地など見て歩いたけど、本当にひどいですよ。戦闘機なんて、民家の屋根すれすれだもの。戦争をするための、爆弾を積んだ飛行機ですよ。騒音も治安も爆発の恐れも、全部いっしょくたに、生活の隅々までの日常の中で危険とぶつかっている。戦争で生き残った人は、あの爆音が聞こえている限り、精神の安定はないと思うよ。

本土の側は何にも知らん。沖縄の人びとの苦悩に耐えている姿との落差が大きすぎるんだ。平和を守るために命がけでやっている人から見ると、甘く見える。「そんなこと言うなら基地を一つ持って帰れ」って言われた平和運動家もいる。それほどまでに、傍観してきた本土に対する不信感があるのよ。

そんな中で、大阪の知事が、我々も基地を引き受けられるか協議しようと言ったんでしょ。全国知事会議も27日に開かれる方向でしょ。いいですね。だがこのあとですよ。全国民が自分たちの問題として、引き受けられる所は引き受けようじゃないか、と踏み出せるかどうか。全国民が問われているんだ。

等距離外交を原点に

情けないもう一つは国会だ。自民党の態度ね。民主党は政権党になってたった1年。よちよち歩きの赤ちゃん。権力握って初めて基地問題とぶつかった。

それに対して自民党は60年間ちかく政権を担当した。自民党が国民のために役立ちたいと思うなら「我々の時はこう苦しんだ。こうやったらどうだ」と民主党に全面協力したらどうなの。そうしたら黙ってたって40％の支持率を得るよ。

景気がどうなるのか、地球温暖化をどうするのか。大問題が山積する中で活路を開くには、争いではなくて協力しかないでしょ。イギリスだって政策がまるっきり違う保守党と自民党で5年間仲良くするという内閣つくったんですから。

それを日本では、自民党も新しくできた党も、鳩山（由紀夫）がしくじると喜んでいるだけだ。国をよくするのではなく、民主党をやっつけることを目的に動いている。鳩山はだらしないけど、そんなことをやっていてどうなるのよ。

国会は国民のためにならない、と自ら証明しているようなものでしょ。この状態が続けば政治離れどころではない。参院選では、誰も投票に行かなくなっちゃうよ。

やることはまず、基地をどこに持っていくかではなく、基地はいるかいらないかを考えることです。みんながひとごとのように振る舞い、反発するのは「日米の安保条約によって我々は守られている」という実感がないということじゃないですか。それは、基地は必要ないということでしょ。

ここを国民全体で討議しなきゃいかんでしょ。国民が腹を据えて、憲法9条国家として、基地のない世の中をつくるように動くことが重要なんだ。

もし、基地は必要だとなっても、アメリカだけに便宜を図るような偏り(かたよ)はいけない。今、世界の軍事大国で対立する恐れのあるのは中国とロシアとアメリカだ。戦争が起これば、原爆を使う。地球は滅びる。そういう可能性が大きい。そうさせないために、日本はまず、それぞれと等距離外交をしないとならない。基地問題はその第一歩、ととらえて対応しないとならないんだ。

そこまでの問題があるのに、政治の場も、主権者である我々も、他人のけんかをおもしろがって見ているだけだ。ここを根底から変えるのが政治なのに、本当に情けないね。

5月末までに決着つかなくたって鳩山をやめさせちゃだめよ。やめても何も解決しない。とことんやらせて決着つけさせなきゃ。

あきらめてはいけないものに努力する

２０１１年５月３日

今回の東日本大震災を「まるで戦争が起きたみたいだ」と言う人が大勢いたので

「それは違う」と、朝日新聞「生きていくあなたへ」のコーナーで言いました。戦争は、やる人がいなければ起こらない。避けようと思えば避けられるけど、災害はそうじゃない、という意味です。

でも、厳密に言うと、ちょっと違う。福島原発は、あれをあそこに造ろうという人がいたから起きた。そういう点では戦争と同じ「人災」なんです。

津波被害も厳しくみれば、三陸地震やチリ津波があったのに、経験に学ぶという点で不十分だったために起きた「人災」といえるでしょう。

我々は、「人災」をどれだけ減らせるか、起こったあとにどう対応するか、ということを考えないといけない。起こってしまったことを、一つでも二つでもプラスに生かさないと、また「人災」が起きてしまう。

考え方としては、マイナスは、プラスがあるから存在するということです。マイナスとプラスを切り離して考えてはだめなんだ。夜は、だんだん暗くなっていくけど、もう一つ先をみれば次の朝に向かっている。そう考えないと。

絶望がいやだと逃げていたら、希望は永遠につかめない。克服すれば希望に変わっていく。今回もそうとらえ、様々なことを考えていこうじゃないですか。

まず、テレビやラジオから聞こえてくる「あきらめるな」「頑張ろう」という声について。私は、あきらめるべきはすっぱりあきらめる方がいいと思ってます。そうするとあきらめてはいけないものが自然と残るはずです。それに向かって、みんなで努力できるのではないでしょうか。

それから募金の話。今度ほど外国からも国内からも集まったことはなかったんじゃないの。同じように、友情の品々や助っ人も集まった。

これは単なる同情じゃなく、誰にでも起こりうるという受け止め方をみんながして、連帯したということでしょう。

それならばこれを機会に、と言いたい。血のつながりがなくても親戚のように、職場は別でも同僚のように、単に物を届けるとか手伝いにいくのではなく、離れた同士だから助け合う、という連帯をみんなで始めたらどうでしょう。

昔、秋田県で国体があって、それが縁で沖縄と交流が生まれた。そのあとで東北が冷害になって、近隣県全体が稲の苗も育たなかったときに、沖縄が苗を送ってくれた。遠く離れているからの縁で助かったわけです。

そういう連帯の動きが、県庁や役所からではなく、我々の中から出てくるように、積極的に考えなきゃいかんじゃないの。

みんなの苦しみ、みんなの願いは、みんなで努力して乗り越え、実現する。気づいたらみんながこつこつと動いている。そういうことが試されているんだ。本当に世の中が変わるのは、人間の普通の感覚での、そういうこつこつなんだもの。

２０１１年５月12日

法律より人間優先

今回の災害では、考えないとならないことがたくさん出てきましたね。避難所としての学校のあり方、というのもそうでしょう。新学期を前に、授業で使うからと、そこから出された被災者も多かったでしょ。

戦前は、非常時に対応できるのは学校が中心でした。ラジオが聞けたのもそこ。だから何かあるとまず学校に行った。戦後もしばらくは朝の体操やら映画会やら、親子や様々な年代をつなぐ場所だった。文化の拠点、良識の拠点だった。

それが子どもの教育が重んじられるに従い、公民館や集会所が増えて、大人のコミュニティーはそちらに移った。そして学校は、地域から離れた。

しかし今回は、避難所が流されたから昔みたいに学校が頼りにされた。場所貸しだけではなく、地域の非常事態を一緒に乗り切る生きた教育がもっとできるチャンスだった。でも、急に頼られたから困ってしまった。

生きた教育が積極的にできるようにするために、公共の建物、学校をどう位置づけるか、ということを考えないといかんじゃないの。津波を想定して学校を建てるわけにはいかないにしても、もうちょっと施設の活用法をな。

原発の問題もあります。私は、放射能の毒性を解消できる目当てがない今は、やめるしかないと思ってます。代わりのエネルギーがないなら我慢するしかないんじゃないの。日本の発電量の3割が原発だというなら、その分を使わないように心がければいい。

原発の地元は、随分多額の交付金をもらってはいるけど、政府も東京電力も、都合の悪いことはなるべく言わないで説得したんでしょ。「安全です」と。それはだめだ。まず本当のことを言ってもらい、そこから存否を問わないと。

法律とは何か、という問題も浮き上がった。体育館に避難していた人に炊き出しをしようとしたら、体育館では火気が使えないからと、温かい食事を提供できなかった話がありましたね。「定員オーバーになるから」と逃げる車に乗らずに歩いて、津波にのみ込まれた人もいたと聞きました。

法律は何のためにあるのか。人間が人間らしく暮らすためです。てんでんバラバラでは交通整理ができないからつくった一定の物差しです。それを参考にしながら人間の命を救う、人間の喜びをつくる。そのように使うためにあるんです。

それが逆になった。人を助けられる場合でも助けられなくした。人間が法律に使われちゃったんだ。

法律を生活の中にもってきて、茶碗と同じように現実の中でがちゃがちゃ使わないとだめよ。法律ではこうなっているけれど、今、現実はこうなっている。だからここを注意してこうやろうじゃないかと。

法律の家来になるな。法律を使う主人公になれ。生活の主人公は人間で、どんな便利な物でも、人間の上に置いてはいけない。

被災者は主体的に政治に要求を

2011年6月11日

今回の災害で、世界が大きく変わってきたな、と感じますね。

なぜこれほど大勢のボランティアがやってきて、世界中の人が援助してくれるのか。一番わかりやすいのは同情論ね。親を失ったり家を失ったり、悲劇があまりにも大きいからね。外国からの支援は、日本がこれまで世界の被災地にしてきた支援へのお礼の意味もあるのでしょう。

でもそれだけではないな。よそ様の悲劇、苦しみを、同情の感覚でしか受けとめることができなかったのが、自分自身の問題として感ずることができるようになった、ということですよ。そうじゃないと南米の人がお金を集めて１００万円を送ってくるなんて考えられないもの。

どうやら地球上の69億人の喜びや悲しみやあこがれ、望みが、近づいてきたんだ。もう少し時間をかけて見極めないといけませんが、そういう想像ができますね。そうだといいですね。

これを本物にするには、絆を強めていかないといけません。岩手と九州とか、宮城と外国とか、離れた地域が、今回の援助が縁で恒常的な連帯の組織をつくっていくというようなね。

被災者は自主的に生きることです。今しなければならないのは、自分たちはどうしたいかを考えて要求することです。なのに、政府や県庁がやってくれるのを待っているようだ。高台に移住させるとかの勝手を黙って聞いている。それでは哀れな被害者でしかないじゃないの。それじゃだめだ。

次に仮設住宅問題ね。住むという字は人が主と書くんでしょ。それを2、3年の臨時だからと、箱みたいな工作物に入れられている。リースだから釘一本も打ってはいけないという。

我が家も臨時のつもりで住みだした。それが60年住んじゃった。子どものために板を打ち、安全で使いやすい家を自分で造っていったからだ。それができないなら住まいとは呼べない。箱が主で、人が主じゃないでしょ。

普段からそういうことを考えるのが政治家や役人の仕事。それを何もやってなかった。だからごまかしの家になっちゃう。被災者は結束し合い、根っこを一つにして堂々と政府に要求すればいいんですよ。そうすれば、被災者が望む住宅はできるはずです。

２０１１年8月18日

温情と寄付の使い道

東日本大震災で、多くの人がボランティアに駆けつけましたね。救援物資も義援金もたくさん届いている。昨年末のタイガーマスク旋風を思い出しました。

匿名の誰かが、施設の子どもにランドセルを贈った。新聞記事でちょっと紹介されただけであっという間に日本中に広がった。連鎖反応が起きたわけだ。人間の本能に火がついたんです。今回の震災でのボランティアや寄付も同じでしょう。

人類は持ちつ持たれつ。支えつ支えられつしなければ生きてこられない。助け合わなければ絶えてしまう動物なんだ。贈り物をもらった子どもが喜ぶ姿を見て、贈った人が喜ぶ。その連帯なしには生きる喜びも味わえない。

そういう感覚が、時々おかしくなる。相手と自分は別だと思った時だ。どんなに惨めでもこれほどまでにはならないぞと思った時に同情が生まれる。これは助け合いの精神ではなく、上から下への施しになる。それは相手への侮辱であって長続きはしない。

戦争が終わって赤い羽根共同募金が始まった。戦禍に遭った子どもたちや社会福祉施設を支援する動きだったが「政治がやるべきことで民間が続けるべきではない」と連合国軍総司令部（GHQ）は1年限りで許可したんです。

1947（昭和22）年の第1回共同募金総額は、労働者の平均月収が1950円の時に5億9000万円も集まった。こんなにお金が集まり、有効に使えたので続くことになった。

この震災で、日本赤十字社と中央共同募金会などに総額3000億円以上もの義援金が寄せられたんでしょ。しかし、通帳も財布も流された人が目の前にいるのに、なかなか配分方法が決められない。自分のお金じゃないのに、配る側にいると、配ってやっているという気分になっちゃうことがある。

寄付の大半は匿名です。匿名は無責任につながると思うのです。厳しく言えば、寄付しっ放しは、責任感を伴っていない行為と言えます。赤十字などに寄付した人は何に使われたかしっかり見ていないと。あり余る中から出しているわけではないんだから。

本来国がやるべきことを大衆の温情で続けるのがいいのかどうか。そういうことも含めて、寄付問題をいっぺん考えることが必要だな。

「がんばろう日本」を超える言葉

2011年9月9日

震災から半年経ちます。今回の地震に対する人間の反応が、これまでとは違っていませんか。違うのは動機です。人が助け合う、励まし合うことの主な動機は三つあります。

一つ目は親子、兄弟姉妹の血縁です。二つ目は隣近所、日本人同士という地縁。最後は同情です。今回はいずれとも違うように見えますね。

多くの国が、何らかの支援でつながっている。あまり聞いたことのない国から、相手もあまり知らないだろう日本の東北というごく限られた土地の子どもが招かれているでしょ。血縁でも地縁でも同情でもない。

もう1点。これまで人類が困った時に頼るものが二つありました。一つは神様、仏様、英雄、偉人に祈る、頼む、という神仏崇拝や英雄待望論。もう一つは社会革命や思想のグループ運動です。

そうやって生まれたヒトラーも毛沢東も、資本主義も社会主義も、何を頼ってもうまくいかないとわかってきた。だから今回は別の動きが出てきた。

「みんなが困っていることはみんなが努力してなくす」「みんなの求める喜びはみんなで努力してつくる」。言葉はあったかも知らんがやったことはなかったもんね。人類の一体感が初めて実態をもってきたのではないかな。

ただ、世界が一つになりやすいのは共通の恐怖があったからでしょう。福島の放射能汚染です。でも、それだけではなく人間はみな仲間という意識が芽生えているのは確かだな。

「がんばろう日本」「がんばれ日本」という合言葉はふさわしくない。悪い言葉じゃないけど誰が誰に向かってがんばれと言うのか。他人に号令をかける言葉だもの。「みんな友達だ」や「人はみな仲間だ」がふさわしいと思うけど、「がんばる」のような動詞になっていない。意識の変化に行動が伴っていないからです。頭で考えるのではなく、事実が生まれないと動詞の合言葉は出てこない。みんなが仲間だという気持ちでこれから何をやっていくのか。実行できるなら人類の合言葉が自然と出てきますよ。そうなった時が本物だな。

2011年11月11日

娘の死をかかえた親の無念

福島第一原発事故で、全国の親たちは、放射能汚染から子どもをどう守ろうかと躍起になっていますね。当然のことです。

魚の子どもは生まれてすぐ泳ぐけど、人間の子どもは父母が100%面倒をみないと死んでしまう。そういう生命体なんです。親は、子どもの安全を守る第一責任者なんです。

人類が食い物を自分で作ったのは1万年前の農耕創始からです。それまでは、木の実などの自然の生り物や小魚、貝などを食べていた。毒が含まれている物もあるから、すごく慎重に自分で責任を持って選んでいたはずなんです。

ところが今の世の中は、選んで買うんではなく、作った側と売る側の宣伝で買わされている。あまりにも他人任せなんです。

4月に焼き肉チェーン店で起きたユッケの集団食中毒事件があったでしょ。5人亡くなったうちの2人は幼子。あれは厳しく言えば親にも責任があります。

あれだけ安い値段で、抵抗力のない子どもの健康に影響を与えない生肉を食べられるのか。そういうことを考えたのかだ。

事故が起きると肉屋と料理店の責任が問われて、肉を食べさせた親は被害者になっている。そうじゃないと思うな。自分の生活を他人任せでなくて自分たち自身で確かめて責任を持つことが人間の本来の生き方だ、と言いたいのよ。

私は3歳の娘を1944年に失ったんです。疫痢菌が町内に入ってきて隣近所の10軒に住む8人の子のうち6人が死にました。

医者に見放されて一晩中抱きしめながら「お手つないで」を歌ってね。時々コーヒー色の液体を吐き出して。

戦時中で医者に診せてやることもできなかった。その悲しみと無念さを、今なお思っていますね。

整理をすると、子どもを育てる直接の責任者は両親。しかし父母の能力に限界があるから隣近所などがこれを支える。そこで支えきれない伝染病対策などは国が、安んじて子育てができる環境をつくる必要がある。

そういう子育ての責任の３段階をごちゃ混ぜに考えてはいけない。混ぜちゃうと、責任の所在があやふやになって、変な解決策が出てきてしまいますから。ユッケに関しては親の責任もある。

放射能に関しては、国はすべての能力をつぎ込んで子どもを守らなければいかん。親はそれを見ているだけでなく、子を守るためにどんな影響があるのかを徹底的に勉強をすべきです。何年後にどんな影響が出るかわからないんだから。

世界中が見ている震災2年

2013年3月15日

震災から丸2年たったね。被災地には農業や教育問題などを話してくれと、呼ばれた土地が多くて気になっているんだけど、目と足が悪くて行けていないんだ。だから現地を見ないでの話で不安だけど、考えていることをしゃべりたい。

これからどこでどう生きるか。自分の家をどうするか。それが今の被災地での一番の問題だ。しかしお金も土地もない。だから何も考えが進まない、ということになる。

でも、家を建てるぐらいのお金は持っているという前提で考えればいいんですよ。考えたことを国や県にじゃんじゃん要求する。国は、国民の生命や財産を守ることになっているんだから遠慮することはない。そして、それらが実現するように交渉を重ねる。ただしそういう先例はないから、しくじっても転んでも、自分たちでやっていくしかないという覚悟は必要だ。

そして、自分でできることは全力でやる。人任せの復興では、困ったことがうんと出てくる。だから被災者自身が我が身にムチ打って、自分の運命は自分で切り開いていく。甘いことは言っていられない。

被災者はこの2年間、どうしていいかわからなくなっていたでしょうね。被災して自分が行方不明になっちゃった。だから人を頼ることも多かった。震災3年目はそんな他力依存から脱却する。被災者から当事者へ切り替える年にする。そういう決意も必要だと思いますね。

その決意を結果につなげるためには、自由に発言できる場所や方法を考えないとならない。

お母さんたちは、町づくり会議などになかなか出てこないと聞きました。それじゃダメだ。生活の場を知っているそういう人たちの意見が一番重要なんだから。地元の10代から30代ぐらいの若い人たちや女性や母親。有識者や学者は外側にいて助言すればいいんだ。

そういう場で、被災した建物を残すかどうかの議論もする。当事者同士が腹を割って話し続ける。みんなの気持ちが生きる答えは、この人たちでないと出せないんだから。とことん意見を言い合えば、被災者の生活実感、命の声で共鳴する部分が見つかるよ。それほど長くかからずに、みんなが納得する答えが見つかると思うな。

それから、世界中が見ているということは意識したほうがいいね。今回の震災で世界中から人やお金や物が来た。それは、気の毒な人への同情ではなく、自分たちも同じ目に遭うかもわからないという当事者感覚での支援だった。そういう応援に対して、頑張ればやれるぞ、立ち直れるぞというリポートを送らないと、恥ずかしいし、申し訳ないんじゃないの。

しこりを残す辺野古の融和工作

2013年4月5日

沖縄の辺野古の漁協が、米軍基地を造るための海の埋め立てに同意したでしょ。沖縄県民は、全員が米軍基地に関して反対していると思っていたのに理解ができない。そう言って不思議がる人が結構いるようだね。だから、その話をしましょう。

実はこうなることは、もう何年も前からわかっていたんです。

私は1972年に沖縄が本土復帰してすぐ、農協から呼ばれて沖縄に行ったんです。以来何度も行きましたね。9年前には辺野古で、反対運動のリーダーの金城祐治(きんじょうゆうじ)さんに現地を案内してもらいました。

金城さんが言うには、あらゆる名目で辺野古にお金が流れ込んでいる。休日になると地元民じゃない若い人が漁師の家にお土産を持って訪ねてくる。そして「こんにちは。息子だと思って、何でも言ってください」と徹底的な融和策をとっている、と言うのよ。国がやっていることだと。

これは、原子力発電所を造るときに、電力会社が建設予定地周辺の住民にやったこととほぼ同じですね。

その翌年、秋田の我が家に沖縄の人が訪ねてきた。そして「金城さんが、とうとう辺野古は落ちてしまったと言っていました」と教えてくれた。「仲間が降伏しちゃった。もうダメだ」と悲しそうな顔で言ったんだって。内側からずっと見てきたから、その当時からわかったのでしょうね。

２００７年に金城さんは亡くなりましたが、それ以降もずっと国は地道に融和工作を続けてきた。そして反対できないような実績を作ってきた。急転直下、何かが変わって動いたのとは違うんですよ。

でもそれは、沖縄県民全体の気持ちとは違うわけです。今の時点では漁協は浮いています。もしここで賛成派と反対派という形で沖縄が分裂したら、まさに原発を造ったときと同じ道をたどる。地元にしこりを残して、事故が起きても全員が被害者になれず、被害者と協力者に分かれる。復興計画にも影響を与えるんじゃないの。

結局、日本民族全体で基地問題に取り組む姿勢がないから、沖縄県民だけで考えるしかないじゃないですか。沖縄の内部の苦問(くもん)は大変なものですよ。

東日本大震災で、被災地の人たちはガレキを受け入れてくれなかった自治体に対して怒ったでしょ。「人体に影響ないくらいのセシウム汚染なのに」などと。

沖縄は、本土復帰してから40年間、基地反対と言い続けてきたけど、本土の人はひとごとだった。だけど今度のことで、被災地の人たちは沖縄県民の立場に立てるでしょ。みんなが当事者になって、一緒の心で考えることができるんじゃないの。

2013年4月19日

今、東北が「絆」を生かす時

前回に続いて沖縄の話をします。1972年に本土復帰して間もなく、現地の農協に招かれたのが最初の沖縄訪問でした。空港から講演会場に着くまでタクシーの運転手がいろいろ話をしてくれた。その時に心に残ったことが二つある。

一つは復帰前の沖縄では女子高校生が学校からの帰り道、戦々恐々だったって。歩いていると米兵がジープで寄ってきて車の中に連れ込んで乱暴して、まるでボロを捨てるように道端へ投げていった。なのに沖縄県民は何も言えなかった。どれほど情けなかったかと。それを聞いて胸が詰まってな。

もう一つは、その運転手さんが十数年勤めていた米軍基地を首になったんだって。スピード違反をしたのが理由だった。基地内に、時速5キロ以下で走れという場所があったけど、自分は7キロ出したからだと。

「ということはどういうことかわかりますか」って聞かれた。原子爆弾を貯蔵していた倉庫の付近で、大きな振動を与えられない。「それしか考えられない」と言ったんです。

この二つが心の中にあって講演中からつらくなった。来るとき乗った飛行機は、波乗りする道具を持った大勢の若者と一緒で、沖縄を遊びの場としか見ていない。そんな日本人を許せないって感じてな。何としても沖縄におれなくてとんぼ返りしてきた。

今でも少女が暴行されたり、オスプレイがきたり、基地問題があったり、沖縄県民が嫌だと言ってることを平気で続けている。

これを解消するには、どうしたらいいか。アメリカに「日本を守ってください」とお願いしなければいいんですよ。そうすれば米軍基地はいらないでしょ。

私が思うに、辺野古基地問題は、アメリカの対中国問題なんだ。日本と一緒にしっかり中国をにらんでいるぞ、一歩も引かないぞというアメリカの意思表示なんですよ。

日本は、「自分の国は自分で守る」と言って、中国や韓国などと仲良くすればいいのよ。絶対いくさはやらない。中国がどこかから攻められたら日本が支える。間違いを起こせば忠告するという関係をつくる。それしかないでしょ。東アジア共同体というのがそれなんですよ。

そうするために、日本や中国や韓国、北朝鮮の中学生や高校生、大学生がしゃべり合うのよ。国境をとっぱらって言いたいことを言い合うのよ。そうすることが、沖縄や尖閣諸島、魚釣島問題の解決の最も近道だと思うな。

今、そういう状況を作り出せるのは東北なんだ。大震災で世界中から支援の人たちが大勢来てくれた。中国からも韓国からも来た。そのできた「絆」を生かす絶好の機会だ。

第5章　100年生きて、わかったこと

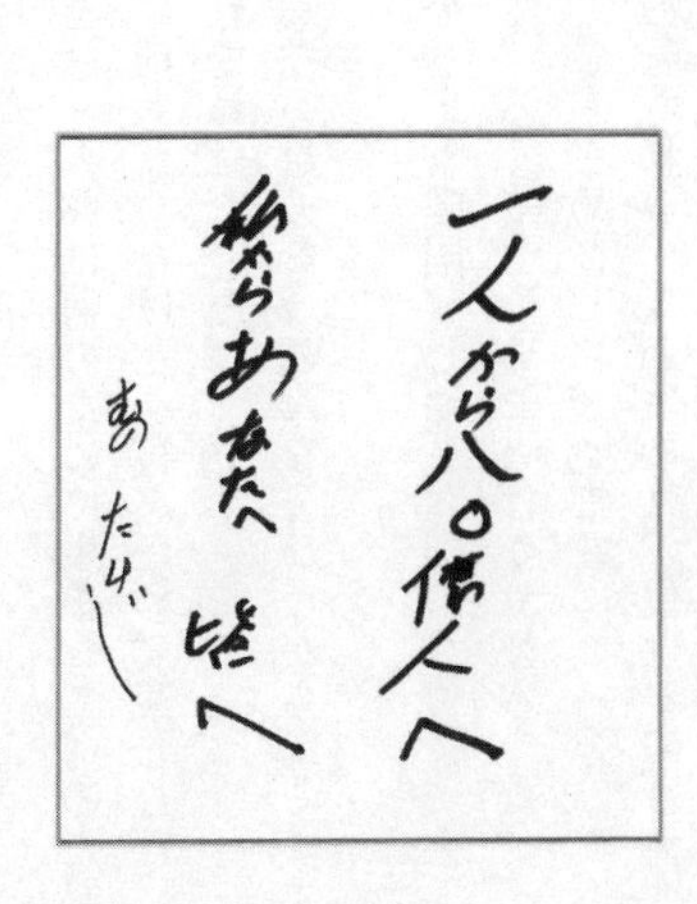

「喜ぶため、楽しむため」

２０１１年１月31日

オラも96歳になった。若い時と今とでは、1年の長さが違うかと聞かれることがあるけど、変わらないな。それより、やらなきゃいけないことがあるのに途中で死ぬかもわからん、というような気があって「重くなっている」という感じだな。若いうちは時間がぴょんぴょんとはねていたけどな。

ともかく、この年になって確信できたことは、人間は何のために生まれて何のために生きているか、ということへの答えだ。前も言ったけど「喜ぶため、楽しむため」だ。泣くためではなく、笑うため。それでねばだめだ。

草花見たって、べそかいて咲く花は一本もないものな。みんな喜びながら踊るように咲くもの。人間だって同じはずだ。

私の子ども時代は、小学校行くと義勇奉公、忠君愛国でしょ。お国のために一生懸命働いて質素に暮らすのが一番立派だって、ろくでもないことばかり教わった。難儀しなさい苦しみなさいと。自分でもがんじがらめにしちゃってな。

敗戦から30年もたって、60歳を過ぎてから「あれっ、人が生まれ、生きるのは何のためなのかな？」って。そして少しずつ、遊ぶことへの罪悪感が薄れていった。なんぼか金の融通がつくようになって、１９８０年から87年にかけて６、７回、妻と二人で25カ国を歩いた。これは解放感があったな。

そしてわかったけど、楽しむというのは、一人ではしないな。一人で泣いても誰もおかしく言わないでしょ。よっぽど悲しいんだなあって思ってもらえる。ところが一人でアハハと笑うと、あいつは馬鹿でねかって言われる。つまり悲しみや嘆きは一人でやるが、楽しみ、喜びは複数の人間で味わうものだということだ。

するとオレは、新聞記者になって社会とのつながり、組織とか人とのつき合いを必死に考えながら仕事してきたつもりだけど、本当の意味で耕していなかったな、と気づいた。それからすこーしばかり生き方を変えた。つながりを本気で考えるようにした。

そうするとまた、気になることが出てくる。若い人たちは老人をマイナスの側からしかとらえないことだ。老いるというのは経験を積むということ。忘れることはあるけど、オラは96歳の今が、頭の働きは最高だと自信を持って言える。これまで考えることができなかった問題も考えられるもの。若者も年寄りもなく、つながり合わないと。

長生きのコツ

２０１２年２月３日

1月2日で97歳になりました。あっという間ですね。非常に短い。一般的には長いんでしょうけど。

この間私は健康で悩んだことはなかったな。87歳で胃がん、91歳で肺がんになり、今は心臓に水がたまって、眼底出血もしてと、ガタガタだ。しかしノミに食われたほども感じていない。

75歳の時に電車に乗ろうと走って息切れして「ああ、われ老いたり」と思ったけど、それは当たり前のことだもの。病気になるのは何も不思議じゃない。機械だって長年使えば壊れる。特にどうということはない。

ところが、２０１１年11月の朝日新聞の「be」によると、現代人の悩みの1番目が健康問題というんでしょ。何かおかしいな。どこかがゆがんでいるように見えますね。

以前、健康ブームというのがありましたね。今でも続いているんでしょ。いろいろな器具を買ったり、サプリメントを飲んだり。

そういう人の中に、本当に具合が悪い人はどれだけいるのでしょう。多くの人は、どこかがちょっとだけ悪かったり、悪いと思っていたりするだけじゃないんですか。器具や薬品のメーカーの宣伝に乗せられている人も多いと思いますよ。たしかに心細いから、これを飲めばよくなるぞと言われれば、病人心理では本当にありがたいと思うでしょうから。

でもその心の奥には、他力依存があるわけです。安心を買いたいのよ。人の意見を聞いて買う、医者に聞いて世話してもらう。自分の努力はなしに全部他人任せでしょ。

自分の命なのだから自分で選ばなきゃ。努力をして自分で決める。そこから人間になっていくわけですよ。そして最後は自分で責任を取らないといけないでしょ。

私は抗がん剤を一度も飲んだことはないの。抗がん剤を飲むと必ずがん細胞だけでなく荒らされますからな。がん細胞は死ぬけど命も死んじゃう。だから医者が薦める五つも六つもの薬を「はい飲みました。でも私の胃が嫌って入りませんでした」って言ってきたんだ。

息子は「今度はダメかも知れない、と何度も医者に言われた」って言っていた。「でもそのたびに父さん生き返ってくるものな。おかしいな」って。長生きのコツはよく寝てよく食べるということだけよ。

朝日新聞時代の同僚に大僧正の息子がいて、そのおやじが何月何日死ぬと言ってその通り死んだというんだ。それを聞いたとき俺は28歳。俺だって予感して死んでみせるぞって思ったんだ。

そしてついに1カ月前、予感がした。言えば「なんだこのじじい、欲たかりだ。まだそんなに長生きするつもりか」と笑われるから、家族にも教えないけど、ちゃんと何月何日と、時間まで書いて残した。ぴたりと当たるぞ。

2012年5月11日

海外旅行は絶対必要

あんた（聞き手・木瀬公二）、被災地の郷土芸能団体と一緒に「鎮魂の巡礼」で世界を回ったんでしょ。震災支援をしてくれた人びとへのお礼のために。いい経験をしましたね。海外旅行というのは絶対必要だよ。どんどん行く方がいい。金があれば自分らで計画を立ててもいいけど、安い団体旅行だって行くべきだな。

まずは相手と知り合わないと話が始まらないが、見てくるだけでも勉強になる。見れば考えるもの。いろいろ見ながら自分を見る、日本を見るということで、自分の人生の中身を確かめることだ。これは頑張ろう、これはまねしようとかな。

おれが初めて海外旅行をしたのは１９８０年ごろでした。78年に週刊新聞『たいまつ』を休刊し、しばらくぽかっとしていて、外国はどうなのか見に行こうかと。夫婦で行ってみたら楽しかったものだから、眼底出血して目がよく見えなくなった72歳ころまでの10年足らずで６、７回行った。

アメリカで食堂に入ったら、韓国の留学生が、おらと同じくらい下手な英語で話しかけてきて「同じアジア人として頑張るべし」なんて言ってな。それで「あら、韓国の娘っこはいい子だな。韓国も行ってみるか」って２カ月後に行ったり。

外国語はしゃべれたほうがいいよ。日本だ、アメリカだと言っている時代じゃないでしょ。新聞記者だったら世界中飛んで歩かなければならないから５カ国語はしゃべれなければダメだ。

そうやって世界を回ってきてわかったことは、抜きんでた国があるわけではないということ。みんな同じ人間だということだ。

でもこの国は違うと思った国があった。ドイツだ。日本と同じファッショの時代があって無条件降伏した国。小さな村の広場に碑が立っていた。「何年何月ここにユダヤ人を500人連れてきてアウシュビッツに送った。助ける者はいなかった。同じ過ちを二度としない」と書いてあった。

ナチスがやった大量虐殺をドイツ人全体の過ちだったととらえて、ユダヤ人の救済をした。日本は中国などに行って大勢の人を殺したが、ドイツのようにけじめをまだつけられていないでしょ。

外国に行けば、そういうものが見られるんです。そしていろいろと考えるのよ。そこから日中関係をどうするかと進んでいく。ぺこぺこするのではなく「一党独裁はおかしい」と思えば、それを言う関係にだ。

外国旅行に行きなさい。何かをやろうと思うときにもう遅いという年はないんだ。80歳まではまず大丈夫だから。

死ぬ練習

2009年12月2日

胃がんになったのが87歳で、肺がんになったのが91歳だ。確かに医者に助けてもらった。手術も受けたし薬ももらった。でもそれらは補助具。治すのは自分で、医師は手助けをするだけ。それを医師に治してもらおうと勘違いしている人が多いね。特に年寄りがおかしくなっちゃって、すぐ医者に行く。ちょこっと薬もらって喜んでいる。そういうもんじゃない。自分の命は自分で守るのよ。もう一度、一人ひとりが自分の生命や生存ということ、自分の暮らし方を考える必要があるな。

私は確信みたいなものがあってね、自分が死ぬときは半年くらい前に「多分、今年の夏あたりだな」と感じるはずだと。

人間は生まれるとき、親を選べないでしょ、場所も。だから死ぬときは自分の意思で考えて死にたい、と思っているの。

生まれたときに「めでたい」と祝うなら、死ぬときも「くたばったおめでとう」と祝ってもらいたいと、私は思っているの。「あのやろう90なんぼもよくぞ生きたな、あははは」ってね。

自分でも、笑いながら死ぬ練習しているのよ。でも、息をひきとるのと笑いは一緒になりにくいね。難しい。だけど私の死に顔を見た子どもたちに「おやじちっとも笑ってないじゃないか。このくそじじい」と言われたくないもんだから、練習を続けているの。

ともかく今のところ、まだ死の予感はないな。今はうんと楽しんでるから死ぬのも困るんだ。

戦前にペテンにかけられていたからね。遊ぶとかぜいたくを罪悪だと教わった。自らを犠牲にするのが美徳だ。質素倹約して人のために尽くすのがいいことだと。楽しんじゃいけないという観念がずっと尾を引いてあった。

それをやっと80歳代の終わりごろだな、わかった。生まれるとは喜ぶため、楽しむためだと。

生きていれば毎日、何かを経験するでしょ。ああだったとか、これは間違っていたとか何か考える。それが前進なんですよ。死ぬときが人間のてっぺんなの。

1日生きることは1日新しい経験をする。出てきたのが悲しみであっても悪いことではない。悲しむことを知らない人が、喜びを知るわけがないもの。

２０１０年６月21日

「主語を生かす」自覚

私は50歳ぐらいから、自分を戒める言葉を心に描いて文章を書いてきたの。最初の10年は「一人称の主語を明確にして文章を書け」だった。

漠然と、「我々は」と言うけど、「我々」とは誰なのか。私のほかに誰が入っているのか。それを誰に向かって書くのか。「あなた」の場合でも、それはどこの誰なのか。そういう点を一番先に明確にすることが必要だ、と考えたわけだ。

そうすることで、その文章に責任が持てることになる。主語があいまいだと、誰が責任を負うのかがあいまいになる。

「この人たちはこう言ってます」というのが必要な場合もあるでしょう。でもどの人にどんなことを聞くかは「私」が決める。「私」がきちんとしていないといかんでしょ。

そう考えたのは、高度経済成長と関係があるんだ。そのころ急に、暮らしの中で一人称の主語がなくなった。農村では、一年間必死に働いて稼いだお金が、都会に数カ月間、出稼ぎに行けば得られるようになった。お金を手にした農民は、いろいろと買い物をした。

本当に欲しい物ならいいが、「消費は美徳」と踊らされて買わされちゃった。能動的に遊ぶならいいけど、遊ばさせられちゃった。旅行会社の攻勢を受けて、旅行に行かされちゃった。そういう「主語のない生活」になっちゃったのよ。自分の意思がないということよ。

文章に限らず、行動の一つひとつを「私は」旅行に行きたくて「行った」のか、「行かされた」のかを確かめながら進むことが大事なことなんだ、という戒めだ。主語を生きろ、だ。

60歳代になって言い聞かせたのは「形容詞は書くな」。「寒かった」「暑かった」じゃなくて「気温が何度だった」と書けばいいじゃないかと。主語を鍛えるためには、客観的データをしっかり把握することが重要なんだ。

70歳代になって「動詞を動かせ」ってね。雲の動きだって「流れた」「飛んだ」「溶けていった」と実際の動きが目に浮かんでくるじゃないの。平板な文章だと心に残らないもの。

80歳からは、口語体も文語体も会話体も、全部ごちゃ混ぜに書いているの。実際しゃべる時のように。

そうやってきて、行き着いた考えは「文章は面白くないとダメだ」だ。読み手が、次も読もうと思わないような、読んで面白くない文章は人の役に立たないもの。そういう文章を書くことは本当に難しい。難儀しているな。

希望は自分でつくるもの

２０１３年１月25日

1月2日に98歳になりました。ほとんど1世紀だね。脚がだいぶ弱ってきたけど、それ以外は元気だ。まだしばらく大丈夫だと思うけど、いつポクッて死んでもおかしくない年ではありますね。時間がそんなにあるわけではないということです。だから、できることはやっておかないとならない。

今は、できるだけ短い言葉でわかりやすくおもしろい哲学を書こうと考えているんです。10字とか20字とか50字とかで。それをやり始めたの。

寝るのは朝の4時ころ。昼に起きて食事をして、休みながらまた4時まで。700編くらいできたけど、もっと書いて、その中から365日に合わせて選んで、一つの論にしようと思っているんだ。

でも今年は本職の原稿を書かないとならないな。本のタイトルは決めてあるんだ。ひらがなで『わたし・あなた・みんな』です。

一人ひとりのわたしから始まって、あなたという他の人と結びつき、70億の人類とつながっていく。それに向かってみんなが、やれることをこつこつやりましょうという内容です。

みんながその気になれば、一番身近なところで金もかけずにいろいろなことができるんだ。そうなれば世の中が、がらがらっと変わるんじゃないですか。みんなが当事者になって動けばものすごいエネルギーが生まれるということですよ。

日本の現状はマイナス面がいっぱいある。なぜこうなったかをみんなが考える。絶望にまっすぐ目を向ける。絶望から目をそらせるから希望が見えてこないわけだ。

２０１２年を象徴する字として「金」が選ばれたでしょ。あれは絶望の中でロンドン五輪で７つもとった金メダルに希望を見いだしているわけでしょ。それは違う。希望は誰かからもらうのではなくて自分でつくるものなんだ。難しいことじゃないんです。そういうことを理解してもらえる本にしたい。

あと、心に決めていることは、自分が使った食器と下着の洗濯は死ぬ日まで自分でやること。これは50歳くらいから続けています。自分が汚した物、アカや汗は自分で始末する。人に迷惑をかけない。死ぬ前の日までパンツを洗うつもりです。

もう一つ、車いすにはできる限り乗らない。杖をついて病院に行ったときに、混雑していて人にぶつかるといけないからと息子に乗せられたことがあるの。２年くらい前に。あまり気持ちがよくてフーッと乗っていたけど、これはだめだと思って

「ストップ」と大声出して止めて降りたんだ。「楽をするなんて俺の堕落だ」と。その時、そう決めたんだ。

賢治に尻ひっぱたかれた

２０１２年９月21日

岩手県花巻市が22日に、宮沢賢治にちなんだ「イーハトーブ賞」をくれるんだって。賢治に直接関係なくても文化活動で頑張っている人を励ますという意味のようですね。

連絡を受けたとき、何で俺に、と驚きました。きょとんとしちゃった。文筆の仕事で賞をもらうことなんて考えたこともなかったから。どうすればいいのか迷いましたな。

自分が書いた文章を読んでくれる人はいる。でもそれが役に立っているのかが疑問でしたから。だって世の中をよくしようと書いているのに、悪くなる一方でしょ。人類は滅亡の方向にどんどん向かっていて、どこにも夜明けの光がみえてこないでしょ。私は、ほめられるようなことをしてないのよ。

それと、フランス人の文学者のサルトルね、彼はノーベル文学賞を断っているんだ。私が知っている範囲ではこんな理由だった。「物書きにとっては読んでくれる読者がいることほどありがたいことはない。それが最高の賞だ。それをすでにもらっているから、いまさら次の賞をもらう必要はない」。

まったくその通りだと思ってきたんだ。俺にも、ともかく一生懸命読んでくれる人がいる。これでいいわけですね。

しかし、賢治の名前がついた賞だと、何となく仲間だなという気がするの。これまでも自分が住んでいる秋田県横手市の市民文化功労賞と、岩手の農民大学から農民文化賞をもらったのも、仲間のような気がしたからなんです。

私は東北に居住して地域社会の出直し、特に農業問題を中心に活動してきたわけです。それで「イーハトーブ賞」は「年取っても頑張っている。そのまま死ぬまで頑張れ」っていう励ましだと受け取って、もらうことにしたんだ。

同時に、賢治に尻ひっぱたかれたような気がしてな。おまえは97歳になって間もなく死ぬ。その前にあと1冊、若い世代に残す遺言みたいな本を書こうとしているようだが、命がけで書け。そう言われた気がしたんだ。

その本が、若い世代に受け入れられるかどうか。受け入れられれば未来に残る。

役に立たないと思われれば捨てられる。いつも試されているんだな。

賢治にしたって同じことでしょう。37歳という短い一生の中で全国に大勢のファンを持つだけの仕事をやった。しかしこれまでの読者とはまったく異なる新しい世代が生まれてきた。彼ら15歳前後の子どもたちが、賢治じいさんの文章をどう受け止めるか。読み継がれるか捨てられるか。

私の命がけの最後の仕事とそれが重なり合った。死に物狂いでやるしかないな。

２０１０年11月22日

子にはもっと親を見せたかった

『青い山脈』を書いた石坂洋次郎という昭和初期の人気作家がいたでしょ。彼は、出身地の青森県弘前市などで学校の先生をしながら小説を書いていた。教育者なんです。

私は、秋田県横手市の旧制横手中で教えを受けた。後に石坂さんに「おれの小説どう思う」と聞かれたことあるの。「小説はわからないけれど、教育者としては立派でした」と答えた。「なに、おれの小説は下手だということか」って笑ってたな。

どこが立派かというと、普通は先生が教室に入ってくると、生徒はみな緊張するでしょ。ところが石坂さんが来ると気持ちが解放されちゃうの。特に成績があまり良くない生徒たちが。

昔は「壁頭」と言って成績のいいのが後ろの壁際にいて、悪いのほど前に座る。壁頭以外はみんな、授業中に先生に当てられないよう下を向いていた。しかし石坂先生のときは上を向く。自由な空気があったんだな。

国語と作文の担当だったけど、英語のテストの見張りに来たことがあった。答えを書けないでいる生徒がいたら、窓を開けて、その生徒に聞こえるように答えを言っているのを聞いたことがある。

それは、成績の良しあしで人を差別する気は毛頭なかったということ。子どもの良いところを見つけて伸ばそうと思ったのじゃない。できるやつには「成績がちょっといくらいで威張るな」と。そこらへんが子どもたちに解放感を与えたんだ。

でも今の親だったら、そういう石坂先生を支持しないでしょうな。自分の子どもさえ勉強できるようにしてもらえればいい、と思っている親が多いでしょうから。「自分の子」という中には、子どもは自分の所有物だという思いが入っているな。そして親が「子どものため」という時は、本当は自分のためということが多いな。

将来、面倒見てもらおうとか。それが一番悪いな。そこに気づかないと。

私は自分の子育てで、後悔していることがあるの。もっと自分を見せておけばよかったと。乙にすまして「子どもの自主性を尊重する」と言ってたけど、それはおかしかったな。親子だから、いい点、悪い点ばんばんぶつけあった方が、よかったんだなと思いますね。

そうしなかったのは、やはり自分の所有物だと思ったからだな。一個の独立した人間と思わなければならなかったのに。そうできるかどうか。そこが本当の親であるか偽の親であるかの分かれ目でしょうな。

孫とはごく自然体で対等に

２０１４年３月７日

「孫育て検定協会」ができたという記事を少し前に読みました。「孫との接し方がわからない」という団塊の世代の悩みに応えるためだと。孫との接し方の技術を教えて点数をつけるんでしょ。違和感を感じたな。

私の母方のじいさんは、高橋長蔵っていうんだ。田んぼをあちこちから借りて小作で暮らしていた。周りも同じような暮らしぶりです。冷害で不作になると、小作米を納められなくなる。そうすると娘を女郎に売るなどした。

長蔵さんは非常に人がいいために、頼まれると借金の保証人になった。それで迷惑を被って、酒を飲んで不調法する。

私の家から長蔵さんの家までは3キロほど。酔うとヨロヨロして「たけじ、来い」って送らされた。何回か送っているうちに、はっと気づいた。長蔵さんは正体を失っているようにしているけど、本当は酔っていないのよ。そんなだらしない男じゃなかったんだ。

酔ったふりしていると、「あんな酔っぱらっているんじゃ文句を言ってもしょうがない」と思わせて嵐をやり過ごす。借金をした人の悪口も聞かないですむ。そうやって我が身を守っていたんでしょ。大人って苦労するんだなって思ったな。

そして私が九つのとき、じいちゃんも小作米を納められずに田んぼを取り上げられそうになった。私は誰にも相談しないで「六郷町馬町、地主湯川岩蔵様」って手紙を書いた。90年も前のことだけどしっかり覚えている。

「私のおじいちゃんの長蔵は非常に心のいい人で保証人になったりして迷惑を受けるために小作米を納められなかった。田んぼを取り上げられると困りますのでやめて下さい」ってね。封筒に入れて届けて、旦那に見せてくれと置いていったんです。そうしたらその日のうちに番頭さんがやってきて、「旦那が、わかったから心配しないで勉強しろって言っている」って言いに来た。

じいさんは、そのころから田んぼにスイカを植えていた。当時そんなことをやっている農家は秋田にはいなかった。要するに開拓者だったんだな。荒れ地があると飛び込んで田を開いた。非常に仕事熱心でした。

飲んだくれで、どこか甘いところのある人間だったと思うけど、孫の目から見れば尊敬できた。私が開拓魂が好きなのは、受け継いでいるんだと思うな。

おじいちゃんが、そういう姿を見せていれば孫はちゃんと育つよ。むしろ「おれは孫育て1級だ」なんて言うおじいちゃんに育てられる孫は心配だ。

孫に何かを教えよう、いいおじいちゃんでいよう、というのではなく、ごくごく自然に、対等につき合ったらどうでしょうかね。

考えたとき進路は決まる

２０１４年３月21日

先日、秋田市の秋田明徳館高校で講演してきました。最近は埼玉県の息子の家で暮らしているので、遠い秋田にはもう行けないと思っていたのですが、定時制高校と聞いてね。苦労している高校生なら話してみたいと思って行ったんです。「若い人たちに伝えたいこと」という演題です。

昔は定時制高校と言えば昼は働いて、学校は夜行くという形だったのですが、そうじゃありませんでした。中学で登校できなくなった生徒もいて、働いていない子もいる。

だから最初に質問した。将来こういう職業に就きたいという目標を持っている人は手を挙げてくださいと。少なかったですね。それで私の経験を話しました。

私は足かけ79年もジャーナリストを続けている。そこだけ見ると、一つの仕事に迷いなしに打ち込んできたようにうつるけど、そんなことはない。21歳になるまで何をやって生きればいいのか、全然見当がつかなかったんです。

秋田の小百姓の家に生まれ、上の学校に行くなんて考えられもしなかった。どこかの下男になって働くんだろうなと思っていた。6年生のとき、お寺の住職が来て、父親に「おめのワラシはできいいんでねか。上の学校さ入れるのは親の責任だぞ」と言った。それで中学に行けたんです。でも貧乏ですからね。自宅から中学校まで片道8キロ。5年間歩いて通いました。

その中学に父親が、5年生のときに初めて来た。帰ってきて「おめの担任は何と立派な先生だ」って。その人は東京外語出だよと言ったらおやじが「おめもその学校は入れ」って。

入学はできたのですが、1年で学資が払えなくなった。学校を辞めるしかないと思った。心配した人が、奨学金を出してくれる人を紹介してくれて続けられた。

4年生になって、周りはみな就職先を決めた。教授に、どうすると聞かれて、初めて、これから先のことを考えた。そして新聞記者になりたいと言ったんです。

だから高校生が、俺はこういう人間になりたいと、決めかねるのは当然のことだと思います。決められない俺はダメだなんて考えることもない。その代わり決めたらとことんやる。1年や2年やってダメだからやめたなんてやっていたら、一生ダメの繰り返しだ。しくじってもいいから10年は続けないと。

週刊新聞『たいまつ』を出すとき、半年しか続かないと言われたけど30年続けた。

貧乏に追われたけど、それが私の一生の中に筋金を通してくれたのだなと思います。続けることがエネルギーを生むんですよ。人間としての納得のいく生き方ができるということです。そういう話をしてきました。

落ち込んだときどう乗り越える？

2014年4月4日

秋田明徳館高校でした講演の続きを話します。間もなくあちこちで入学式がありますし、若い人の参考になってほしいと思いますので。

あの講演で「あきらめるな」ということと、もう一つ言ったのは「かけがえのない」ということでした。

今、世界の人口は約70億人。それだけ地球上に人がいるのに、むのたけじという人はたった一人だ。世界中のお金を集めて、機械を集め、ノーベル賞をとった科学者を連れてきてもつくれない。それが、かけがえのないということです。自分とはそういう存在だということを自覚する。それができると道が開かれていきます。自分を甘やかすんじゃないですよ。走りっこやっても負ける。テストやっても70点しかとれない。だから俺はダメなんだ、じゃないんですよ。かけがえのない自分に責任と誇りを持つ。そうすると相手も大切に思う。そこから本物の友情が生まれるでしょう。それだけで人生が変わっていきます。

そういう話をしたあとに質問を受けたんです。「むのさんはいろいろな経験をしてきた。つらい体験をして落ち込んだときに、どうやって乗り越えてきたのですか」と聞かれました。

うまい方法を教えてもらおうと思ったのでしょうが、私は即座に「そういう手はありません」と答えました。気持ちが打ちのめされたときは、打ちのめされたままいればいいんです。元気を出そうとかしない。しょげたままでいい。

私はいろんな仕事をやってうまくいったことはほとんどありません。だいたいが思ったことと違った。若いときは、そういう自分をダメだと否定したこともあった。

でもそうやって自分を卑しめて、ムチ打ってみたって、そこから何の力も湧いてきません。早く乗り越えないと、なんて思わない方がいいんだ。自分を大事にし、いたわり、工夫して下さいということです。

一つだけ例を挙げます。私は胃がんと肺がんをやって、治療はしたけど一部のがん細胞は残っていた。俺の命と、がんという敵が、一緒になって俺の体の中にいる。

夜寝るとき「ハイ、がん子、がん太」と呼びかける。がん細胞にも男と女がいるだろうから、そう呼びかけて「おめらそこにいたくねか。あまり暴れるな。暴れると俺と一緒に火葬場に行って煙っこだ。やさしくおとなしくゆっくりしていろよ」ってな。

何年かそうやってきて、今はかかりつけの医者が「あら、がん細胞見えなくなっちゃった」って。バーカって言われるから人前で言わないけど本当なんだ。ともかく、何でも自分で考え、工夫する。人から教えてもらうのはだめだ。

あとがき

100歳のむのさんを囲む会で、どなたかに「それってギネス世界記録じゃないの」と言われた。朝日新聞岩手版と秋田版で連載している(開始時は東北6県版)むのさんの聞き書き「再思三考」が7年続いていることを知り「一人の記者が一人の人に対して続けている聞き書きとしては」と言ったのだ。

そうかどうかは知らないが、聞き書きをしている当人としては、長く続けているという思いはまったくない。まだまだ途中で、終わりがあるという気がしていない。それだけむのさんが元気で、考えてもらわなければならない社会問題がたくさんある、ということだ。

それらテーマを持ち、毎月1、2回、むのさん宅を訪問する。そのたびに「なるほどそうだったのか」「そんな見方があったのか」と感心させられる。物の見方、考え方、生き方を教えられて帰ってくる。

連載は2009年1月から始まった。これまで掲載した約150編の中から、86

編を選んだのが本書である。

連載のきっかけは、私が朝日新聞の定年退職を迎えたことにあった。体力が衰え、行政の発表記事や花鳥風月の原稿は書けても、ジャーナリストとして満足な働きはできないと判断していた。続行するのは、新聞記者という職業に対して失礼だと考えた。そして2008年9月、定年延長を選ばず、かねて終の住み家と決めていた岩手県遠野市に移り住んだ。

そこに新聞社が、もう少し働かないかと誘ってくれた。「年寄りにしか書けない記事もあるのだから」と背中を押してくれる人もいた。心動かされた私は「むのさんの聞き書きをやらせてもらえるか」と聞いた。

岩手県に住む記者は、岩手県内に住む人や出来事を取材し、全国版か岩手版に記事を書くのが役割だ。それを、むのさんが住む秋田県横手市までインタビューをしに行かせろという要求である。横手市には現役の記者が常駐しているし、その記事をどこに掲載するのかも考えれば、無理難題なのである。

だが本社は、「じゃ、東北6県に配信しよう」と、希望をかなえてくれた。どれだけ、むのさんの発言を重視しているかが理解できた。中途半端なことはできない、と私も覚悟を決めることになった。

実は定年前の私の任地は横手市だった。「烈火は消えやすく、埋火は消えにくい」と著書に記し、それを地で行くように、社会に警鐘を鳴らし続けるむのさんに、会わないわけにいかない、と着任後すぐに押しかけた。そして聞いた話を、秋田版に連載した。そこから数えると足かけ10年のインタビューになる。それでもまだまだ、聞くことは山のようにある。世界が動いている限り、発言を続けてもらわなければならないと考えている。

最初、むのさんから言われたのは、何について聞きたいのか。それについておまえはどう思うのか、どうしたらいいと考えているのか。それを提示せよ、ということだった。

だから伺うときはいつも真剣勝負。その結果が本書には詰まっていると確信している。

2015年5月

朝日新聞盛岡総局遠野駐在　木瀬公二

巻末エッセイ
父・むのたけじと過ごした5年間

武野大策

本書の元になっている「再思三考」は、朝日新聞東北6県版の連載として2009年1月に始まりました。聞き手を務めてくれた朝日新聞記者の木瀬公二さんは、2005年11月から父の元に出入りされていたようです。その時期の父は、妻・美江が4月に亡くなり、生活がガラッと変わった頃でした。父の人生が最終段階を迎えていた時に、木瀬さんは父の言葉を書き残してくれたことになります。

私は父が亡くなる前の最後の5年間、父の仕事に付き添い、生活をともにしました。それは、ちょっと変わった介護生活というべきものだったかもしれません。ここでは、本書が書かれた時期に父の生活に起きていたことと、その後の父の様子を書くことで、人生100年時代をいかに生きていくかということについて、考えの一助になればと思います。

1　横手での闘病生活（2006〜2009年）

87歳で胃がんに

父はずっと「自分の命は自分で守る」と前向きでした。そしてこの姿勢を101歳で亡くなるまで貫こうとしていました。父が自らの生死をどのように捉えていたかは、「死ぬ練習」（212ページ）によく表れています。このインタビュー時、父は94歳ですが、この年齢になると、現実は父の思うようにはいかないものです。

父は2002年、87歳の時に胃がんを患い、当時私が勤めていた大学の付属病院（私はそこの基礎講座で研究と教育の仕事をしていました）で胃の5分の3を切り取る手術をしました。その後、父はがんの手術後の体調の変化や再発・転移の有無を調べるために、手術直後は2カ月おき、1年過ぎたあたりからは6カ月おきに横手から上京して経過観察を受けていました。最初のうちは付き添っていましたが、母親につきっきりになることが多くなり、私はいつしかその経過観察のことを忘れていました。

母が亡くなった2005年の年末近く、私のもとに、かつて教えたことのあるT教授から電話がありました。彼はこう言いました。

「武野先生のお父さんは私のところにかかっています。先生が90歳を過ぎた老人を病院でひとりで歩かせて、迷子にさせるような人だとは思いませんでした」

それに加えて、初期の肺がんの可能性があることも伝えてくれました。このとき私は、親が高齢になると親の思い通りにさせておくだけでは済まされないことを知りました。

なお、この時電話をかけてくれたT教授は、肺がんの治療の後も、心不全、誤嚥性肺炎と続いた父の病の面倒を見てくれて、結果的に父の最期のときまで、私たち親子のよき相談相手になってくれました。

自分で決めた肺がんの治療方針

私は、父の肺がんに対して、胃がんの時とは別の対応をしようと思いました。胃がんの時は、父が生に執着しているのをそれまで何度も見ていたので、がん告知をすると取り乱すと思いました。そのために、全ての治療方針を医師と私で決め、回復できる目処が立った手術前日にがんであることを伝えました。しかし、胃がんの時に病気を受け止められたこと、今回の肺がんは胃がんの転移の可能性があり、治療も長く、体にかける負担も大きくなると思ったことから、私は対応を決めきれませんでした。そこで、肺がんの治療方針は父に決めさせることにしました。そう父に話すと、

「今は黒岩比佐子さんが聞き手となって作っている岩波新書の刊行を控えているので、治療にあまり時間を取れない」

ということでした。私も、ここで積極的治療をしても、そのためだけの生活に明け暮れることになるような気がして、やめた方が良いと思いました。

私は父と決めた治療方針をT教授に伝えました。T教授は、素人が決めた方針を馬鹿にすることなく、しかし丁寧に反論しました。

「まだ確定診断していないからわかりませんが、私の経験から言えば、胃がんからの転移ではなく、原発性のものだと考えます。だから、治療したほうが良いと考えます。入院することの環境変化で認知機能の低下を招く懸念は確かにありますので、入院はできるだけ避ける治療法もあります」

続けて、ピンポイントで照射する放射線治療について説明をしてくれました。私と父はその新しい治療法に納得し、翌２００６年の2月末から放射線治療をおこな

いました。

この時の経緯から、「落ち込んだときどう乗り越える？」（228ページ）で出てくる、「がん子、がん太」の話が作られたように思います。

放射線治療で見た父の姿

父への放射線照射は4日間連続でおこなわれました。他の患者さんの照射よりかなり時間がかかるので、治療の順番は最後です。17時ごろ病院に着くように、私が付き添って出かけます。だいたい1時間くらい待ち、父の治療に1時間くらいかかり、治療が終わるのは19時半くらいです。それから、ゆっくりゆっくり歩いて、近くのレストランで休憩を兼ねて軽く夕食をとり、21時ごろ帰宅の途についていました。

放射線照射は比較的副作用が少ない治療法と言われますが、実際に治療してみると、やはりがんをやっつけるわけですから体に多少の違和感があったのでしょう、父の様子を丁寧に見ると、顔をゆがめて苦しそうにしていることがありました。「大丈夫か」と尋ねると、「大丈夫だ」と返してきました。そこにはかつて、病気でちょっとでも痛かったりするとオーバーに表現していた頃の父の姿はありませんでした。

この治療法は入院による機能低下を防ぐためとはいえ、私たち二人にかかる負担は大きなものでした。それでも父は痛みに耐え、病に立ち向かってくれたのです。このときの父の様子を見て、私は二人で父の残りの「いのち」と向き合っていこうという気持ちになれました。

放射線治療の痛みを耐えられたのは、肺がんの治療を積極的にはしないと、父が自分で治療方針を決めたことが影響したのではないでしょうか。自分の命に自分で責任を持ち、他人に委ねないから、治療で起こるさまざまなことも自分の心で処理できている、父の姿からそんなことを感じました。

肺がんの放射線治療その後

放射線治療が終わったら、父は少し私の自宅に滞在するかと思いましたが、

「今度のことで自分の限界を知った。人生の締めくくりをしなければならないからできるだけ早く横手へ帰りたい」

と言いました。

そして実際に、最後の放射線治療をした3月3日は、私の自宅に着いたのが20時半でしたが、翌日の朝8時には二人で秋田新幹線こまちに乗って横手へ帰りました。

そこで私は、地元で開業している中学時代からの友人の福嶋隆三医師に、放射線照射の副作用として起こるかもしれない肺炎などのチェックをしてもらうことにしました。

そうして横手に帰った父が何をしていたのか――この頃木瀬さんは朝日新聞横手支局にいて、時々弁当を持って夫妻で訪ねてくれていたようです。当時の様子を聞くと、元気なく家に閉じこもっていることが多いように見えたとのことです。

そのほかには、2007年4月に「むのたけじ平和塾」の講演記録『戦争いらぬやれぬ世へ――むのたけじ語るI』が評論社から出版されます。また、1959年10月から48年続けていた日記を、この年の大晦日で終えています。

2008年7月には、黒岩比佐子さんが聞き手となって、父が自身の人生を語った『戦争絶滅へ、人間復活へ』（岩波新書）が刊行されました。同じ7月に『いのち守りつなぐ世へ――むのたけじ語るII』も刊行され、父は父なりの人生の締めくくりを始めたようでした。

そして今までの活動をまとめ終えた2009年1月、朝日新聞東北6県版で、木瀬さんを聞き手として「再思三考」の連載が始まりました。

2　埼玉での共同生活（2010〜2016年）

さいたま市へ

2010年の年末近くに定期検診のため上京した父は、それまで見たことがないくらい衰弱していました。じっさい、検診で心不全が見つかり、以後血圧管理が必須になります。私は、これは父ひとりに任せておけないと思いました。そこで、父には横手とさいたま市を行き来することをやめ、さいたま市の私のところに定住してもらうことにしました。

生活拠点を移したのは、病状の変化がきっかけですが、その頃の父には心情の変化もあったようです。この頃書かれた「『無縁社会』の背景は」（110ページ）、続く「3世代同居に戻ったら」（112ページ）、「子にはもっと親を見せたかった」（221ページ）は、人が世代間でつながって生きなければならないという話です。この頃の父の中には、自分が持っているものを後世に残したい、とりわけ子供には伝えたいという思いが強まっていたように思えます。

地球の生物はほとんどが、子孫を残す行為を終えると寿命が尽きます。しかし、人類だけが生殖を終えた後でもかなり長く生きます。この理由として、一説では知識の継承ということが考えられています。そう考えるならば、父はその人間の持つ性質に従ったのではないか。この頃の私には、父を介護しているという実感はなかったのですが、親がいわゆる「介護生活」を必要とする時期というのは、子が親を世話するばかりでなく、子が親の知識を継承する時期でもあるのではないか……振り返ってみるとそのように感じます。

そんな思いはともかく、年をとってからの父子二人暮らしというのはなかなか面倒なものでした。長く別の環境で生活してきた大人同士が一緒に暮らすとなると、日常生活の細かなことでの違いが気になります。これまでのように、いずれ帰るというのならば我慢できても、定住して暮らすとなると違います。対立も起きます。

そんな中で、せっかくなら二人で何か生み出すことはできないかと考えるようになりました。そこで、

「手伝うから、本でも作ろうか」

と、提案してみました。父からは、

「テーマは何にする」

と返事がありました。

とはいえ、実は私は、父とはまったく違う分野の仕事をしていたこともあって、それまで父の仕事内容についてはほとんど知りませんでした。どうしたものかと困っていた時に、以前行われた父の講演会で、聴きに来られていた鎌田慧さんが「憲法9条が持つ二重性」についての質問をし、その時の父の返答が理解できなかったことを思い出しました。そこで、そのことについて詳しく書いてほしいと言ってみました。その時は返事がありませんでしたが、翌朝、紙に殴り書きしたものを私に渡してくれました。しかし、私はそれを読んでもまだ分からなかったので、

「書いてあることがさっぱり分からない」

と正直に感想を述べました。

すると、父がひどく怒ってしまったので、心不全の人をこれ以上刺激してはいけないと、いったんやりとりを終わりにしたのですが、翌日、父は書き直したものをまた渡してくれたのです。それは、前より理解できるものになっていました。

私はそれをパソコンに保存すると、また次の質問をし、父はまた同じように答えてくれました。これを繰り返して3カ月くらいすると、なんとなくまとまった分量になり、それを知り合いの出版社の編集者に見てもらったところ、紆余曲折を経て

2011年8月に『希望は絶望のど真ん中に』(岩波新書) として刊行されたのです。父がどのようなことを考えてきたのか、この本を作る過程でずいぶん知ることができました。

父と息子の共同作業がスタート

年をとった親子で生活するとき、孤立せず社会と関わりを保ち続けることが生活の質を上げます。そこで大切なのは人と会うことです。2012年以降は、さいたま市の我が家には1週間に1組以上の訪問者がありましたが、父が移り住んだ2011年当初はまだそれほど多くなく、毎月インタビューのため訪れてくれる木瀬夫妻の存在はありがたいものでした。インタビューが終わった後に、近くの鮨屋さんで歓談することがならわしとなり、我々親子には気分転換となったものです。

その頃、父は訪ねてくる人には応対していましたが、体調面・体力面での不安から私が付き添っても出かけることは嫌がり、病院通い以外に外出することはほとんどありませんでした。このままでは活動の範囲が限られてしまうと、私は無理して出かけることを計画します。ちょうどその頃、父にビデオニュース・ドットコムからの取材の申し込みがありました。担当者は父の体を心配して、そちらに取材に行くと言ってくれたのですが、「息子がスタジオに連れていくから、こちらから行く」と返事するよう父に勧めました。

父もそれを受け入れてくれ、当日は二人で出かけました。収録は無事終了したのですが、気がぬけてしまったのでしょうか、関係者に挨拶をして部屋を出た途端、父はそこにぺたりと座りこんでしまったのです。私は恥ずかしさもあって急いで父を抱えながら、駅に向かいました。この経験から、父が活動を広げるにはもう少し体力をつけないといけないなと私は思いましたが、父のほうは、私が付き添えば仕事ができると思ったようです。これ以降、テレビドキュメンタリーの取材が続き、講演会にも出かけていくようになりました。

介護と仕事 ～子も頑張るが、親も頑張る～

２０１０年の冬から２０１６年に父が亡くなるまでの私たち親子の生活は、親が子に一方的に世話をされるだけの、いわゆる「介護生活」とは違うものでした。この間に父がさまざまな仕事をしていたからです。しかし、父は一人で出歩くことはできませんでしたから、講演などで出かけるときは私の付き添いが必要でしたし、本を作るにも私の協力が必要でした。ですから、父は一人で行動することができなかったという意味では、あの時期の私は「介護」をしていたと言えるのかもしれません。しかし、当時の私は自分が介護生活をしているという自覚はなく、のちに父と私の生活について取材を受けたときに「介護生活だったのですね」と言われて、はじめて「そうか、あのとき自分は介護をしていたのか」と思ったほどでした。

父独特の表現ですが、当時の父の言葉で印象深いものがあります。「私に仕事をさせたことは誰にも言うな。面倒をみたことが薄くなるから」。私が父に仕事を勧めていたことが知れると、それは私が自分の利のためにやったことだと周囲から誤解されるのを気にしてくれていたのでしょう。

確かに、私は父に「仕事をしたら?」と言いました。言葉だけ聞くと、無理強いしているようにも聞こえます。しかし、父は、「長生きのコツ」(208ページ)でも書いてあるように、あくまで主体的に人生を締めくくりたいと思っていました。父は私の言葉で仕事を再開し、けじめをつけられたし、自分の仕事を私や周囲に伝えることもできて、喜んでいたと思っています。(もしかしたら、私が父の思いに沿って世話をしたお返しとして、父は仕事をし、私に色々と教えてあげたと思っていたのかもしれません。)

私たち親子の場合、父を一方的に介護しなければならない状態でなかったことが幸いしました。確かに私は父の世話をしましたが、二人で協力して父の仕事をしていた中で、私は父が持っている知恵や人脈を受け継ぐことができましたから。そう考えると、二人の生活は、「持ちつ持たれつ」の関係と言えるのかもしれません。「子も頑張るが親も頑張る」の精神が、私たち親子の最後の5年余りの共同生活を有意義にしたことは間違いありませんし、やや特殊な面もあるでしょうが、こうした「介護生活」もあるんだということをお伝えしておきたいと思います。

3　父の伝えたかったこと

東北への思い

実は父には、私がさいたま市に居を構えるようになった1990年ごろから、私の住まいの近くに引っ越してくるように言っていました。老後のことと、父の活動の広がりを考えてのことでしたが、父はものを考える基盤と社会活動の基盤が東北にあると考えていたので、生活の場を移すことを嫌がりました。その東北で、2011年3月11日に東日本大震災とそれに伴う福島第一原子力発電所事故が起きました。このことは木瀬さんが父にインタビューしている期間に起きた最も大きな出来事でした。これら一連の出来事を、私は反原発などの社会問題として関心を持ちましたが、父は地域問題として捉え、しかも冷静に見ていました。このことは「優越意識が差別を生む」（46ページ）「第4章　東北と沖縄と」からも読み取れます。私と父の問題意識の違いはどこから出てきたのでしょうか。私は秋田県横手市で生まれましたが、性格によるものか、受けた教育によるものか、自分が東北人という意識はそれほどありません。

一方の父は、1932年に東京外国語学校に入学するために上京したとき、田舎者とひどく差別されたそうです。そうした経験があるからかもしれませんが、父は自分が東北人であるという意識がとても強いと感じます。自分は差別されてもそれを「東北魂」ではね返し、努力して今日を作ったという誇りがあったのだと思います。一方で、関東で使う電気を東北の福島で作っている、そのような状況があちこちにあることから、東北が日本の植民地だという認識も、父にはありました。そのことが、大震災に対する思いの違いに表れたのかもしれません。

「立ち遅れた東北」を「東北魂」でなんとかしたいと活動していたので、秋田から離れたくなかったのでしょう。しかし、大震災で止まっていた東北新幹線が4月下旬に減速運転で開通するまで、父が秋田に帰る道は閉ざされてしまいました。そのこともさいたま市に定住を余儀なくされた理由の一つなのですが、そのおかげで、父が考えていた「東北が持つ歴史的な背景」は、私に伝わったのです。

新しいテーマへの挑戦

新しいテーマへどうアプローチし、発展させるか、その方法は人それぞれです。私はたまたま父が96歳から挑戦した幼児問題への関わりを深めていく過程で、父のやり方を見ることができました。

それは「秋田県保育協議会」からの講演依頼をきっかけに始まりました。依頼理由は横手の名士だからというものでしたから、断ることも、多少知識がある教育の話でお茶を濁すこともできたはずです。しかし、父は教育問題でなく、保育の問題を話そうとしたのです。そこで、父は「幼稚園と保育園がどのようにしてできたかを調べてくれ」と、私に頼んできました。

実際調べてみると、それぞれが必要とされた背景や、現在の監督官庁の違いなど、幼稚園と保育園には多くの違いがあり、考えなければならないことがたくさん出てきました。ここで、私は一つの言葉をきっかけに、それを突き詰めていくと物事の本質に迫ることができるということを学びました。二人でやりとりを繰り返す中で考えをまとめ、当日は「保育の土台固め」というタイトルで、保育の専門家に問題提起をしたのです。

その後、全国展開している全国保育経営懇の「保育経営セミナー」で講演をしたり、絵本で子育てする楽しさを伝えるNPO法人「『絵本で子育て』センター」の講習会の講師をしたり、さらに、2015年には編集者の菅聖子さんの手伝いを得て『むのたけじ　100歳のジャーナリストからきみへ』という子供向けの5冊シリーズの本まで出版するのです。

今振り返ると、この仕事は父が私に、新しいことに立ち向かうときのあり方を教えるためにしたのではないかと思えます。父の幼児問題への関心については、「幼稚園・保育所を歓迎しよう」（163ページ）にも書かれています。

ジャーナリストむのたけじとして

本書では、父の仕事で大きなウエイトを占めているはずのジャーナリズムについての発言は、「表現の自由、伴う責任」（38ページ）などそれほど多くありません。ジャーナリズムを志す人への教本みたいなものがあってもいいのではないかと考えていたところ、私が父の考えるジャーナリズムを知る機会がやってきました。

２０１２年３月に父の古巣である朝日新聞東京本社で行われた、入社２、３年目の新米記者の研修会で話す機会を得られたからです。車座になって先輩記者と意見交換する形で行われたものですが、社会におけるジャーナリズムの役割など、活発な議論が生まれました。父はうれしさから話が脱線してしまうほど饒舌で、終了後、後輩記者たちは、「花鳥風月はニュースではない、トピックスだ」というような、父が73年前に教わった記者の心得をしっかり受け継いだ感想を書いてくれました。

5月には、「言論の自由を考える5・3集会」（朝日新聞社労働組合が主催）で、基調講演をします。講演内容は研修会での議論を受ける形で行われました。父は、「読者を思う気持ちが、新聞に新たな命を吹き込むことができる」という自分の思いを若いジャーナリストに伝えられてうれしかったと思います。

私もこの二つの経験で、これまでほとんど関わることがなく、知ることもなかったジャーナリズムの世界を垣間見ることができました。

第3次世界大戦を防ぐには

父は第1次世界大戦開戦の1年後に生まれ、第2次世界大戦では従軍記者として中国やジャワ島などの戦地に行き、帰国してからは東京大空襲も見ています。これらの経験から、「戦争は『いらぬ』、戦争は『やれぬ』世へ」という言葉にもあるように、父にとって戦争廃絶への思いは特別強いものでした。その思いは「戦争とは何か」（78ページ）ばかりでなく、秋田大学、立教大学、早稲田大学、そして母校の東京外国語大学などでの講演でも直接大学生に訴え続けました。「最後は戦争がなくなりそうだというのを見て死にたい」とまで言っていた、まさに父の命がけのテーマでした。

しかし、亡くなって6年もしない2022年2月にロシアがウクライナを侵攻しました。まさに日本が満州を攻めたのと同じ構図です。

第2次世界大戦後、世界ではいくつもの戦争がありましたが、私は今回ほど第3次世界大戦の危機を感じたことはありません。「普天間問題を考える」（180ページ）にもありますが父は遺言のように「世界大戦が起きるとすれば、アメリカ、中国、ロシアの3カ国の中の2カ国が結びつき、他の1カ国を潰そうとする時だから、この3カ国の中の2カ国が結びつかないように、日本をはじめとする東アジアの国と欧州は頑張らねばならない」と言っていました。残念ながら、世界は父の思いとは違う方向へ進み始めているようです。

ウクライナの情勢は現在膠着（こうちゃく）状態ですが、中国ははっきりとした態度を示していません。父の予言したようにやはり中国がどのような行動を取るかにより、人類の運命が決まるように思います。こうした見方ができるようになったのも、父と生活したからです。

4　最後に残す言葉は「ありがとう」（2016年〜亡くなるまで）

5月3日の憲法集会

先に述べた父と私の最初の共同作業である『希望は絶望のど真ん中に』は、「憲法9条が持つ二重性」の中身を私が問うことから始まりました。この質問に対する答えが、「序章　歴史の歩みは省略を許さない」です。しかしここでは、憲法9条をただ守っていれば良いというものではない、ということがわかるだけです。おそらく、同じテーマを木瀬さんが噛み砕いて、「憲法9条に『魂』を」（48ページ）を書かれたのでしょう。私はいまだにどちらを読んでも父の考えを理解しきれません。それだけ、父の憲法9条に対する思いは複雑で、深いものなのだろうと思います。

それなら父の思いを直接多くの人に伝えることで、共有できる人を増やせないかと考えていたところ、2016年5月3日に東京・有明防災公園で開かれる「5・

3憲法集会」で話してみないかという誘いがきました。この頃になると、依頼された講演が予定時間前に終わることがたびたびあり、父の体力の衰えは如実でした。それでも、父に講演依頼があると聞くと、受けると言います。

当日まで、何を話せば良いか悩んで、日本人が今後心に留めておくべきことなど、色々思いつく内容を私に話しかけてきて、議論しました。私はできるだけ負担なく会場に行く方法などを検討して、万全の準備で当日を迎えました。

2016年は日本国憲法が公布されて70年という節目の年で、前年成立した安全保障関連法の廃止を目指す市民運動の盛り上がりもありました。5万人が集まったと報道されていました。

父はその会場で、聴衆に問いかけたのです。

憲法9条は、戦争の悲惨さ、痛みの中から生まれてきた。この憲法9条で、戦後70年、国民の誰をも戦死させず、他国民の誰をも戦死させずにきた。9条こそが人類に希望をもたらす。そして、戦争をこそ殺さなければならない。とことん頑張りましょう、と。

来場した多くの方から、父の発言に自信をもらい、頑張ろうという気持ちにさせられたなどと言葉をかけていただきました。

今、大国に隣接するウクライナの悲惨な現状を見たとき、「武力では国を守れない、戦争をなくさなければ人類に幸福はやってこない」という父の言葉を改めて考えさせられます。

この集会が、公の場での父の最後の姿となりました。6日後には誤嚥性肺炎を発症して緊急入院することになったのです。

どうしても出たかった石坂洋次郎さんの講演会

入院して最初のうちは、復帰する希望を持って治療とリハビリを同時進行していました。それは、ほぼ1カ月先の6月4日に秋田県横手市で行われる石坂洋次郎没後30年の記念事業の講演会にはぜひ行きたいという気持ちがあったからでした。

石坂洋次郎さんは父の旧制中学の恩師です。卒業後もことあるごとに相談をする間柄でした。それは「石坂洋次郎先生の気迫」（149ページ）や「東北の地に『光』求めて」（168ページ）にも表れています。そうした関係でしたから、なんとしても自分が話さなければならないと思っていたのでしょう。

その頃の父の仕事に「週刊金曜日」のコラムがあり、私が父から話を聞いてまとめ、それを父が確認する形で続けていました。そのコラムで父が石坂洋次郎さんのことを話題にしたのです。それまでも石坂洋次郎さんについては何度も語ってきてはいましたが、「子にはもっと親を見せたかった」（221ページ）にあるように、教育者としていかに優れていたかという話が多く、石坂文学について父の考えを聞くことはありませんでした。しかしこのとき父は、文学というものは人間生活の開拓記録であり、石坂文学が私を物書きになるように方向づけたと語りました。

父は講演会に行くべく回復に努めていましたが、結局5月末に肺炎を再発してしまい、講演会は諦めることになりました。代わりに、父からのビデオメッセージに、それを補うための私の話、石坂洋次郎さんの最晩年を取材した木瀬公二さんの話の3本立てとしました。

父に横手の講演会が無事終了した話をすると「ありがとう」と言って、ほっとしたような表情を浮かべました。その後、容態は坂道を転がるように悪くなりました。

病院での父の姿　～看護師さんとの交流～

父が入院をしているとき、私は朝11時くらいには着くように病院に行き、病態が悪くなっていないかビクビクしながら病室に入っていました。モニターに示されている動脈血酸素飽和度の数値が95以上であるのを確認するとほっとしていたものです。それから面会時間が終わる午後6時頃まで病室にいました。こうした生活を、5月9日に入院し、7月15日に退院するまでのほぼ毎日、続けていました。

なんと親孝行な息子と思われるかもしれませんが、私が毎日病院に行くのは、父が心配だからというだけの理由ではありませんでした。父は拘束される生活に耐えられない性格で、それまでの入院生活では病院との間でトラブルが絶えなかったからです。つまり、私は病院に迷惑をかけないように父を監視していたのです。

しかし不思議なことに、今回は看護師さんなどから嫌味を言われることがなく、今までの入院生活と違うなと思っていました。あるとき、看護師さんと雑談していると、私が帰ってからの父の生活が垣間見られたことがありました。

父はもともと夜型人間です。私のところにいたときでも、食事時間以外は昼間ほとんど寝ていて、夜に書き物をする生活でした。だから、病院でも変わるはずがありません。それで、看護師さんや医師に夜中色々な話をしていたのです。私はやっぱり迷惑をかけていると謝罪しましたが、看護師さんたちはまったく怒っていませんでした。それどころか、看護師さんたちから、父は「癒やしの人」と慕われていたのです。「武野さんに病院で死なれたら悲しくなってしまうので、そろそろ家に連れて帰ってほしい」とまで言われ、これには驚きました。

ここからは推測ですが、今回の入院では、父は看護師さんに感謝の気持ちを持って、気を使って話しかけていたのではないでしょうか。

入院生活が1カ月を超えると、動脈血酸素飽和度の数値もかなり低い数字がしばしば見られるようになり、食事もだんだん取れなくなってきました。容体は確実に悪くなっていましたが、それでも苦しいと言うことはありませんでした。自分に襲いかかる現実を静かに受け止めながら生きていたのだと思います。

退院する1週間くらい前に担当医に呼ばれ、緩和病棟に移るか、在宅介護するかの選択を求められ、私は在宅介護を選択しました。在宅介護にしたのは、父が家に帰ることで、生きてやろうという本能を出してくれるのではないかと期待したからでした。

最後の日々と、妻への思い

私は、父が最後の入院をするまで、父の介護で公的支援をお願いすることはありませんでした。全て私一人で対応してきたのです。父が入院した日、そのことを知ったT教授に言われました。

「お父さんの治療も大切だが（介護の公的支援についての息子さんへの）教育も大事

ですね」

　それで、急遽患者支援室の人から介護保険のしくみの説明を受けました。いまの親子二人の生活に他人が入ってくるのが嫌だと思って申請を渋っていると、看護師さんからも促され、ようやく要介護認定などの手続きをしました。要介護5と判定されると、その後のことは支援室の方が私の住んでいるところの事情を調べ、ほとんど手続きを代行してくれました。

　あれよあれよという間に介護ベッドが入り、家の中に病室ができたようなものでした。毎日訪問看護師さんがやってきてくれるし、医師との連絡も取れます。排泄物の処理などの負担はありましたが、父は最後まで意識がはっきりしていましたから、排泄物を処理すると感謝の表情を浮かべてくれることも救われました。病院と違い慌ただしさがありませんので、父とじっくり向き合うことができました。

　介護ベッドは母が亡くなった畳の上に置かれていました。その影響かは分かりませんが、在宅介護が始まって1カ月くらいした時、夜中に突然、

「母さん、助けて」

　という父の大きな声で目を覚ましました。「母さん」とは、妻のことのようでした。

母は晩年、寒さを嫌ってさいたま市で過ごすことが増え、東北にこだわる父と離れ

離れに暮らすことが多くなりました。そのために行き違いが起きたこともありましたが、ここで再びいっしょになれたように思い、家に連れて帰ってきて良かったと思いました。

それから数日した8月20日、いよいよと感じられる状態になりました。朝訪問してくれた看護師さんの様子からもそれが分かりました。看護師さんはいくつかの処置をしていきました。私は夜が長くなるような気がして、夕方仮眠をとったのですが、父の息づかいが荒くなっているのに気がついて目を覚ましました。

のどに痰が絡まって、呼吸が荒くなっているようでした。教えられたように痰を取ってやりました。そうすると、呼吸が穏やかになり、布団から少し手を出してきたので、私はその手を握りました。

すると、父が軽く握り返してきたのです。父は以前から、最後には「ありがとうございました」と言って旅立ちたいと言っていましたが、手を握ることでそれを表したんだと思いました。頑張れよと励ましているようにも感じられました。

そして、父は静かに息を引き取りました。生前「微笑みながら死にたい」と言っていましたが、そんな感じがあるといえばある、ないといえばないようでした。ただ、感謝して死んでいったことは間違いありません。

訪問してくれていた医師に連絡すると、まもなくやってきてくれて、日付が変わって21日に死亡を告げられました。「死因は老衰でいいですね」。父は見事に101歳の人生を全うしたのでした。

父の思いはいま

父は生前「生まれる時がめでたいなら、死ぬ時もめでたい」と言っていましたが、父が亡くなった時の私は「めでたい」という気持ちにはとてもなれませんでした。介護生活の終わりはやはり悲しいものです。ただ、父がその言葉の後に続けた「よくぞくたばったと言ってくれ（くたばったおめでとう）」は私にも共感できるものがあります。

父は常々「自分の望むことは何も成し遂げられなかった」と言っていましたが、私から見れば、やりきった人生でした。亡くなるまでの5年間で、自分の経験を、残された人、そして私に伝えられたことで、父は父なりに最後は納得して旅立てたように思います。

一方私の方はというと、父の仕事を手伝うことでそれまで知らなかった父の経験を知り、父という人間への理解を深めていたことが、父がいなくなった心の隙を埋めてくれました。

父は生前、葬儀などはやらずに、私の書いた本でも読んでくれれば良いと言っていましたが、私は「死んだあとのことは、残された人のためにあるものだから、死んでいくものはとやかく言うな」と返していました。

父は少し不満そうでしたが、最終的には受け入れ、私に任せてくれました。亡くなったことを仕事でつながった人たちに知らせると、急いで駆けつけて私をサポートしてくれ、密葬を無事済ませることができました。

さらに、密葬でつながった人たちは、亡くなって2カ月後に行われた偲ぶ会にも協力してくれました。鎌田慧さん、桂敬一さん、佐高信さん、落合恵子さんなど多くのジャーナリストが集まって、ジャーナリズムのあり方を問う催しが行われました。菩提寺で行われた本葬では映画『笑う101歳×2　笹本恒子　むのたけじ』を上映して、映像で父を懐かしんでもらうこともできました。こうしたことは父の仕事仲間を知っていたからできたことであり、父が私に残してくれたものと言えるかもしれません。

父の思いを次の世代につなげる取り組みも続いています。

父の蔵書や資料、新聞制作に使った機械などは秋田県横手市立図書館に寄贈しました。図書館では2万3000点を保管し、一部は雄物川(おものがわ)図書館に「たいまつ記念室　むのたけじ　その記録」で常設展示されています。

また、埼玉の有志が「むのたけじ地域・民衆ジャーナリズム賞」を作り、全国に散らばっている地域ジャーナリズムで頑張っている人・団体を顕彰(けんしょう)していくことになりました。つい先日、4回目の受賞の集いを終えたところです。4回目から、中垣克久さんの「たいまつ」の絵が入った受賞盾が作られ、秋田でも「むのたけじ秋田の会」が支えてくれて年々広がりを見せています。

こうしたことができたのは、父の最後の5年余りを、父と共に行動したからだと思います。

近年は親が子供の迷惑にならないように、老後のことは自分で始末することが良いとされているようです。自分で介護施設を探してそこで過ごし、お墓のことも先祖代々の墓を閉じて子供がお参りしやすいように近くに作ったりして、死後までも子供に配慮しています。こうしたことは、もちろん子供のために良かれと思ってすることですが、一方で、親子のつながりを狭くするだけでなく、親が築いてきた人とのつながりも切ってしまうのではないでしょうか。

父は財産を残しませんでしたが、目に見えないもの、ものの見方、多くの人々とのつながりを私に残してくれました。そのことが、今の私の生活を支えてくれていることを父に感謝しています。

２０２２年6月30日

な

むのたけじ・著作一覧

『たいまつ十六年』企画通信社　1963年　のち岩波現代文庫　2010年
『雪と足と』文藝春秋新社　1964年
『踏まれ石の返書』文藝春秋新社　1965年
『ボロを旗として』番町書房　1966年　のちイズミヤ出版　2003年
『明日への絶唱　理想と情熱』青春の記録4・編著　三一書房　1967年
『日本の教師にうったえる』明治図書出版　1967年
『詞集たいまつ　人間に関する断章604』三省堂新書　1967年
『1968年　歩み出すための素材』（共著）三省堂新書　1968年
『日本の教育を考える――豊かな人間教育への提言』（共著）東芝教育技法研究会　1970年
『われ住むところわが都』家の光協会　1975年
『解放への十字路』評論社　1973年
『詞集たいまつ』Ⅰ～Ⅵ　評論社　1976～2011年
『むのたけじ現代を斬る　対談集』（聞き手・北条常久）イズミヤ出版　2003年
『戦争いらぬやれぬ世へ』（むのたけじ語る・Ⅰ）評論社　2007年
『いのち守りつなぐ世へ』（むのたけじ語る・Ⅱ）評論社　2008年
『戦争絶滅へ、人間復活へ――九三歳・ジャーナリストの発言』（聞き手・黒岩比佐子）岩波新書　2008年

『ふみさん、たけじさんの93歳対談』（共著）朝日新聞出版　２００８年
『希望は絶望のど真ん中に』岩波新書　２０１１年
『99歳一日一言』岩波新書　２０１３年
『絵本とジャーナリズム』「絵本で子育て」叢書　２０１３年
『人類の新しい夜明けを』クレヨンハウス　２０１４年
『むのたけじ１００歳のジャーナリストからきみへ』（共著・全5冊）汐文社　２０１５年
『たいまつ遺稿集』金曜日　２０１６年
『週刊たいまつ復刻版』全5巻　不二出版　２０１８年

むのたけじ年表

作／武野大策

西暦（　）は元号	年齢	むのたけじに起こった出来事	社会の出来事
1914（大正3）年			7月、第一次世界大戦勃発
1915（大正4）年	0歳	1月2日、秋田県六郷町（現在の美郷町）の農家に父・鉄之助、母・ヲナカの6人きょうだいの次男として生まれる。	1月、日本政府が中国の袁世凱政府に対華二十一カ条要求
1921（大正10）年	6歳	4月 六郷小学校入学。	
1923（大正12）年	8歳		9月、関東大震災
1925（大正14）年	10歳	リベラリストであった小学5年の担任、稲葉活三先生の影響を受ける。	
1926（大正15・昭和元）年	11歳		12月、大正天皇崩御、「昭和」に改元
1927（昭和2）年	12歳	3月、六郷小卒業後、畳屋の奉公に出されることになっていたが、菩提寺・長明寺の住職である長澤龍浄が両親を説得し、4月、秋田県立横手中学校（現在の横手高校）入学。	
1929（昭和4）年	14歳	後に流行作家となる石坂洋次郎が横手中学校	

		に勤務するようになり、国語と作文、道徳を教わる。	
1930（昭和5）年	15歳	沢田松太郎に指揮された農民組合員たちが、地主の掛札家に実力行使した場面に出くわす。	
1931（昭和6）年	16歳		9月、満州事変
1932（昭和7）年	17歳	3月、秋田県立横手中学校を皆勤賞で卒業。 4月、東京外国語学校（現在の東京外国語大学）スペイン語学科入学。	5月、五・一五事件
1933（昭和8）年	18歳	外交官試験に応募するが、年齢制限で受験できず。	
1936（昭和11）年	21歳	3月、東京外国語学校卒業。 4月、報知新聞入社、秋田支局に赴任。 11月、三菱鉱業尾去沢鉱山の貯水池決壊による大惨事を取材。	2月、二・二六事件 8月、ベルリンオリンピック開催
1937（昭和12）年	22歳	戦死者家族への取材が続く。	1月、宇垣一成に組閣の大命下るも、陸軍の反対で辞退 6月、第一次近衛内閣発足 7月、盧溝橋事件
1938（昭和13）年	23歳	4月、細谷美江と結婚、栃木支局へ転勤。 10月、報知新聞本社社会部遊軍へ異動。	

1939(昭和14)年	24歳	1月、長男・鋼策誕生。 12月、台湾・立霧渓に取材。	1月、近衛内閣が辞職後、平沼内閣（238日）、阿部内閣（140日）と短命内閣が続く 9月、ドイツがポーランドに侵攻
1940(昭和15)年	25歳	2月20日、斎藤隆夫の反軍演説「今のままでは世は闇だよ、どこに文明圏の政治があるか」の記事を執筆。 7月、中国へ行き、北京、モンゴルを見て、8月にモンゴルについての記事が掲載される。 11月、朝日新聞社に転職（書類上は12月1日）。	2月、斎藤隆夫の反軍演説 7月、第二次近衛内閣発足 9月、日独伊三国同盟締結 10月、大政翼賛会発会
1941(昭和16)年	26歳	7月、埼玉・浦和へ転居。 8月、長女・ゆかり誕生。	7月、日本軍が南部仏印に進駐 8月、アメリカが対日石油禁輸 10月、東条内閣発足 12月8日、日本軍による真珠湾奇襲攻撃、日米開戦
1942(昭和17)年	27歳	1月、ジャワ島上陸作戦特派員団の一員として従軍し、3月1日、ジャワ島上陸。ジャカルタ支局開設に伴い支局員になり、滞在中、林芙美子や横山隆一の取材に協力。	3月、ジャワ島のオランダ軍降伏 6月、ミッドウェー海戦で日本軍が大敗

		7月3日、バタビア（現ジャカルタ）市長についての記事が掲載される。	
1943（昭和18）年	28歳	1月、肋膜炎を患いジャカルタから帰国。 4月、社会部遊軍メンバーに。その後の数年で近衛文麿、東条英機、松岡洋右、小泉信三、藤田嗣治などを取材する。 6月5日、山本五十六の国葬記事が掲載される。	2月、ガダルカナル島で日本軍撤退開始 4月、山本五十六、ブーゲンビル島上空で戦死 5月、アッツ島日本軍全滅 10月、神宮外苑で出陣学徒壮行会
1944（昭和19）年	29歳	9月3日、学童疎開についての記事が掲載される。 9月27日、3歳の長女・ゆかり、疫痢で死去。 10月、次女・きらか誕生。	B29による本土爆撃激化、集団疎開始まる 3月、全国の新聞が夕刊廃止 7月、サイパン島日本軍全滅、同月小磯内閣が発足 10月、特攻隊作戦開始
1945（昭和20）年	30歳	8月15日、朝日新聞社を退社（書類上は9月1日）。	3月10日、東京大空襲 4月、鈴木内閣が発足 8月6日　広島に原爆投下 同月9日、長崎に原爆投下 同月15日、玉音放送
1946（昭和21）年	31歳	「中京新聞」の創刊を手伝う。	11月3日、日本国憲法公布

年	年齢	事項	社会の動き
1947（昭和22）年	32歳	二・一ゼネストがGHQの横槍で中止に追い込まれたことがきっかけで、週刊新聞「たいまつ」の立ち上げを決意する。 11月、三女・あじあ誕生。	5月3日、日本国憲法施行
1948（昭和23）年	33歳	1月、秋田県横手市に転居。 2月2日、週刊新聞「たいまつ」を創刊。	8月、大韓民国が成立 9月、朝鮮民主主義人民共和国成立
1949（昭和24）年	34歳	11月、石坂洋次郎著『わが道を往く』をたいまつ新聞より刊行。	10月、中華人民共和国成立
1950（昭和25）年	35歳	6月、四女・まどか誕生。	6月、朝鮮戦争始まる
1951（昭和26）年	36歳		9月、サンフランシスコ講和会議、同時に日米安全保障条約が結ばれる
1952（昭和27）年	37歳	11月、市民団体「平和の戦列」発足。	
1953（昭和28）年	38歳	5月、次男・大策誕生。	3月、吉田茂のバカヤロー解散
1954（昭和29）年	39歳		3月、第五福竜丸がビキニ環礁で被曝
1955（昭和30）年	40歳	2月、衆議院選挙で秋田2区に出馬、落選。	4月、バンドン会議

1956(昭和31)年	41歳	週刊新聞「たいまつ」に「評伝・毛沢東」を34回連載。	12月、日本が国際連合加盟 経済白書に「もはや戦後ではない」と明記された
1958(昭和33)年	43歳		11月、皇太子明仁親王と正田美智子さんが婚約
1959(昭和34)年	44歳	4月、横手市長選に出馬、落選。 10月21日、「艸録(そうろく)(日記)」をつけ始め、以後日録として続ける。	11月、安保闘争のデモ隊が国会突入
1960(昭和35)年	45歳	西明寺(秋田県仙北市)などで安保改定についての講演をする。 週刊新聞「たいまつ」の資金繰りが特に悪化。	5月、自民党が日米安保条約を強行採決 6月、全学連主流派が国会に突入 7月、第一次池田内閣が発足
1961(昭和36)年	46歳	4月、週刊新聞「たいまつ」の発行に尽力した長男の鋼策が、東京経済大学に入学するために上京。 6月、経営立て直しの一環としてスーパーマーケット「よねや」のチラシの作成をする(1963年7月まで)。 7月、週刊新聞「たいまつ」の発行を週刊から旬刊に変更。 8月、事務所を閉じ、自宅に。	

1962(昭和37)年	47歳	4月、妻・美江が子宮筋腫の手術のため入院。	10月、キューバ危機
1963(昭和38)年	48歳	11月、『たいまつ十六年』を企画通信社から刊行。	
1964(昭和39)年	49歳	2月、テレビドキュメンタリー「はいはいこちらたいまつ新聞」(TBS)放映。 4月、『たいまつ十六年』を理論社から再版。 9月、『雪と足と』(文藝春秋新社)を刊行。	10月、東京オリンピック
1965(昭和40)年	50歳	3月、長男・鋼策が東京経済大学を卒業し、仕事を手伝うようになる。 4月、母・ヲナカが死亡。 4月、たいまつ同人会「第一回農村文化懇話会」を開く。 12月、読者との手紙のやりとりをまとめた『踏まれ石の返書』(文藝春秋新社)を刊行。 筑摩書房の『ジャーナリズムの思想』(現代日本思想大系12)の中に「雪と足と」と「たいまつ抄」が収録される。	6月、日韓基本条約調印
1966(昭和41)年	51歳	9月、『ボロを旗として』(番町書房)を刊行。	5月、中国で文化大革命開始 8月、三里塚芝山連合空港反対同盟の結成
1967(昭和42)年	52歳	3月、『日本の教師にうったえる』(明治図書	6月、第三次中東戦争勃発

年	年齢	事項	社会
		出版）を刊行。 9月、『詞集たいまつ　人間に関する断章604』（三省堂新書）を刊行。 12月、『明日への絶唱　理想と情熱』（青春の記録4・編著、三一書房）を刊行。	
1968（昭和43）年	53歳	4月、ベトナム戦争を記録した写真で知られるジャーナリスト・岡村昭彦との対談集『1968年　歩み出すための素材』（三省堂新書）を刊行。	日本の国民総生産（GNP）が世界第2位に
1969（昭和44）年	54歳	1～3月、日本教育テレビ（NET）「選挙」特番の司会を務める。	1月、東大安田講堂事件 7月、アポロ11号月面着陸
1970（昭和45）年	55歳	2月、『定本　雪と足と』を三省堂から刊行。 9月、『日本の教育を考える――豊かな人間教育への提言』（共著）を東芝教育技法研究会から刊行。	3月、大阪で万国博覧会開幕
1971（昭和46）年	56歳	2月、三里塚闘争の現地視察。 6月、「三里塚　第二砦の人々」の上映会を催す。 7月、北海道庁の講演に合わせて北海道を妻と二人で旅する。	2月、三里塚第一次行政代執行、9月、第二次行政代執行
1972（昭和47）年	57歳	4月、次男・大策が予備校に通うために仙台	2月、札幌オリンピック

年	年齢	事項	社会の動き
		に転居。子どもたちは全て一旦家を離れた。	5月、沖縄返還 9月、日中共同声明に調印、国交正常化
1973（昭和48）年	58歳	3月、日本文化訪中団副団長として訪中し、人民大会堂で講演する。 4月、『解放への十字路』（評論社）を刊行。 12月7日、父・鉄之助が老衰のため死去。	第一次オイルショック
1974（昭和49）年	59歳	11月8日、今日を起点として1945年8月16日から10年間を生き直すと自誓する。今年一年の活動をまとめると、たいまつ新聞が11回、たいまつ以外に書いた短文が34編、テレビ出演が14回、ラジオ出演が9回、講演が78回でその聞き手1万5725人、ホネになる仕事がないと悔やむ。	
1975（昭和50）年	60歳	3月、妻・美江が自律神経障害で2カ月ほど入院生活を送る。 『われ住むところわが都』（家の光協会）を刊行。	
1976（昭和51）年	61歳	3月、『詞集たいまつ　人間に関する断章604』を『詞集たいまつI』として評論社より再版。	9月、毛沢東死去

		5月、『詞集たいまつⅡ』（評論社）を刊行。 8月、信夫韓一郎が死去、追悼会に出席。	
1978（昭和53）年	63歳	「たいまつ」が780号で休刊。 5月、NHK「わたしの自叙伝」が放映される。	
1979（昭和54）年	64歳	5月、妻・美江と次女・きらか夫婦とともに西欧諸国への旅へ。 7月、沖縄県家の光事業推進研修会のため、最初の沖縄訪問。	
1980（昭和55）年	65歳	6月、妻と東西ベルリンを中心とする東欧の旅へ。	9月、イラン・イラク戦争勃発
1981（昭和56）年	66歳	1月、TBSドラマ「3年B組金八先生」（第2シリーズ第15回）で『詞集たいまつ』の一部が取り上げられたことで、高校生のファンが増える。 6月、妻とアメリカ、カナダの旅へ。 9月、妻と韓国の旅へ。	
1982（昭和57）年	67歳	4月、妻とソ連への旅へ。 11月、テレビ朝日の「鉄矢のにっぽん人国記」に出演。	
1983（昭和58）年	68歳	4月、順天堂医院内科で目の網膜剥離が見つ	9月、大韓航空機撃墜事件

年	年齢	事項	社会
		かり、以後、長い闘いが始まる。	
1984(昭和59)年	69歳	1月、友人の真壁仁が亡くなったことがきっかけで、自分の死も考えるようになる。 7月、「奥羽山脈に風穴を開ける会」で講演、以後たびたび参加する。 9月、妻と東欧の旅へ。	
1985(昭和60)年	70歳	5月、順天堂医院眼科の定期診察で血圧が極度に低下していることがわかる。 6月、順天堂医院眼科の診察で眼底出血していることがわかり、医師の進言でタバコをやめる。 7月、順天堂浦安病院で目の手術。	
1986(昭和61)年	71歳	10月、石坂洋次郎先生が86年の生涯を閉じたことを知る。	バブル景気始まる
1987(昭和62)年	72歳	6月、講演の依頼が少なくなったことで、詞集の仕事に身を入れる。 8月、きのうまでの自分に別れを告げて、今日からの自分に「では、でかけよう」と声をかけて歩み出す。この気持ちは１９７４年に次いで2度目。	4月、国鉄分割民営化
1988(昭和63)年	73歳	4月、金婚式を迎える。	

年	年齢	むのたけじの事績	社会の出来事
		8月、『詞集たいまつⅢ』（評論社）を刊行。	
1989(昭和64・平成元)年	74歳	4月、順天堂浦安病院に再入院、両目とも白内障の手術をうける。	1月、昭和天皇崩御、「平成」に改元 6月、天安門事件 11月、ベルリンの壁崩壊
1990(平成2)年	75歳	1月、妹・星カネ子が死去。 5月、長年続けてきた家の光協会全国農村読書活動体験文の審査を、妻に朗読してもらって続けることにし、批評文の代筆もしてもらう。 10月、「筑紫哲也NEWS23」に出演、筑紫との交流が始まる。 12月、「朝日新聞」秋田版に「埋火 むのたけじの仕事」の連載が開始、72回続く。	8月、湾岸戦争勃発
1991(平成3)年	76歳	1月、妻・美江が体調不良で順天堂医院に検査入院。 11月、横手市文化功労賞を受賞。	3月、バブル崩壊始まる 12月、ソ連崩壊
1992(平成4)年	77歳	5月、血尿が出るので、順天堂医院で検査すると、尿道の一部がふくれていることが判明。	2月、東京佐川急便事件 6月、国連平和維持活動協力法（PKO協力法）成立
1993(平成5)年	78歳	『中学国語 3』（教育出版）に『詞集たいま	8月、細川内閣発足

		つ』の2句が掲載される。	
1994(平成6)年	79歳	2月、秋田市立千秋美術館で木村伊兵衛展に合わせて講演。 3月、シンポジウム『2005年万博誘致への提言』で「中京新聞」のかつての仲間と交流。	
1995(平成7)年	80歳	フリーライターの黒岩比佐子が機関誌のインタビューのため、横手を訪問。以来、手紙のやりとりが始まる。むのからの手紙は138通にものぼった。	1月、阪神淡路大震災 3月、地下鉄サリン事件
1997(平成9)年	82歳	5月、『詞集たいまつ』Ⅰ、Ⅱ、Ⅲを再編集した『詞集たいまつ』(評論社)を刊行。	7月、香港返還
1998(平成10)年	83歳	2月、沖縄を訪問。琉球新報社で講演。普天間、嘉手納などの米軍基地を視察。	2月、長野オリンピック
1999(平成11)年	84歳	5月、妻・美江が横手に長期滞在。この後、埼玉の次男・大策のマンションに定住することになる。	
2000(平成12)年	85歳	1月、TBS「サンデーモーニング新春スペシャル」に出演。	
2001(平成13)年	86歳	12月、岩手農民大学から第12回農民文化賞を	9月、アメリカ同時多発テロ

		受ける。	事件 10月、テロ対策特別措置法成立
2002（平成14）年	87歳	1月、黒岩比佐子と横手市の老舗旅館・平源で対談。 1月頃から体調が悪化していることを自覚し、6月、横手病院に入院。 6月27日に順天堂医院に入院し、胃がん手術を受ける。 9月、自転車を再開。 11月、書籍『むのたけじ現代を斬る』のもととなる北条常久との対談。 12月、『詞集たいまつⅣ』（評論社）を刊行。	5月、ワールドカップ日韓大会
2003（平成15）年	88歳	2月、「ストップ戦争への道、安保法制反対秋田県民集会」に参加。 4月、順天堂医院での診察や、次男・大策の自宅での妻との再会を秋田放送が取材。 6月、北条常久との対談集『むのたけじ現代を斬る』（イズミヤ出版）を刊行。 7月、横手高校の生徒たちとの対話。 12月、「むのたけじ平和塾」開始。2年にわたり12回開催された。	3月、イラク戦争勃発 6月、有事関連三法が成立 7月、イラク特措法成立
2004（平成16）年	89歳	2月、沖縄訪問。ひめゆりの塔、平和の礎、	

年	年齢	事項
		辺野古の視察、琉球新報社で講演。 6月、秋田県立横手清陵学院の中学生と対話。 6月、ABSスペシャル「むのたけじがゆく　89歳からのメッセージ」放映。 12月、横手清陵学院での中学生との座談を中心としたドキュメンタリーが秋田放送で放映。
2005(平成17)年	90歳	4月、妻・美江が92歳で死去。 11月、朝日新聞の木瀬公二ら3人が訪問。
2006(平成18)年	91歳	2月、肺がん治療のため順天堂医院で放射線照射。
2007(平成19)年	92歳	4月、平和塾の講演集『戦争いらぬやれぬ世へ　むのたけじ語るⅠ』(評論社)を刊行。 5月、『詞集たいまつⅤ』(評論社)を刊行。 12月31日、日録(日記)終了。
2008(平成20)年	93歳	7月、黒岩比佐子が聞き手をつとめた『戦争絶滅へ、人間復活へ　九三歳・ジャーナリストの発言』(岩波新書)を刊行。同月、『いのち守りつなぐ世へ　むのたけじ語るⅡ』(評論社)を刊行。 8月、順天堂医院に入院し、左硝子体切除術を受ける。

2009(平成21)年	94歳	「朝日新聞」東北6県版で「むのたけじの伝言再思三考」が始まる。聞き手は朝日新聞記者の木瀬公二。この連載は亡くなるまで7年続いた。	
2010(平成22)年	95歳	たびたび心臓発作を起こすようになり、活動拠点を秋田県横手市からさいたま市の次男・大策の住居に移す。	
2011(平成23)年	96歳	2月、ビデオニュース・ドットコムの「マル激トーク・オン・ディマンド」に出演。 8月、『詞集たいまつⅥ』(評論社)を刊行。 同月、NHK-BS「100年インタビュー」に出演。 同月、『希望は絶望のど真ん中に』(岩波新書)を刊行。	3月、東日本大震災、福島第一原発事故
2012(平成24)年	97歳	1月、全国保育経営懇での講演をきっかけに子どもへの関心を深める。 3月、朝日新聞若手記者研修会にて、若い記者と意見交換。 9月、イーハトーブ賞を受ける。 12月、『死なない地域社会――97歳の現役ジャーナリストと若い市民との対話』(敦賀ROCK計画委員会)を刊行。	

２０１３(平成25)年	98歳	6月、「絵本で子育て」センターの講演を開始。 11月、『99歳一日一言』(岩波新書)を刊行。 12月、『絵本とジャーナリズム』(「絵本で子育て」叢書)を刊行。	12月、特定秘密保護法成立
２０１４(平成26)年	99歳	4月、「むのたけじ・笹本恒子　１００歳対談」がおこなわれる。 5月、『人類の新しい夜明けを――原発と戦争、大人の責任から考える――』(クレヨンハウス)を刊行。 6月、埼玉県川越市の中帰連平和記念館を訪問、翌15年に記念講演。	
２０１５(平成27)年	100歳	1月、１００歳を迎え、15日に「１００歳のつどい」を開く。 1月、日本テレビ系列「１００歳、叫ぶ元従軍記者の戦争反対」が放映される。 5月、菅聖子が聞き手をつとめた『むのたけじ　１００歳のジャーナリストからきみへ』(全5巻)を汐文社から刊行。 7月、「再思三考」をまとめた『日本で１００年、生きてきて』(朝日新書)を刊行。 10月、ＮＨＫ「ＥＴＶ特集　むのたけじ１００歳の不屈　伝説のジャーナリスト　次世代	9月、安保関連法が成立、集団的自衛権が行使可能に

への遺言」が放映される。

同月、東京外国語大学から、二・二六事件で受け取れなかった卒業証書が授与された。

2016(平成28)年　101歳

1月、BS-TBS「関口宏の人生の詩 むのたけじの101歳を迎えたジャーナリスト人生」が放映される。

2月、「週刊金曜日」で連載「たいまつ」が始まる。最終回の9月9日号は「番外編」として次男・大策が書いた。

4月、「たいまつ」のデジタル化が完成(横手市立横手図書館)。

5月3日、東京・有明で開かれた憲法集会での演説が公の場での最後の姿となる。その6日後に肺炎で順天堂医院に緊急入院。

6月、テレビ朝日系列「テレメンタリー2016 まだ101歳 むのたけじ 戦争を殺す日まで」が放映される。

8月21日、さいたま市の自宅で死去。

9月24日、早稲田大学大隈記念講堂でシンポジウム「ジャーナリスト・むのたけじの魂を継承する〜むのたけじさんを偲ぶ〜」が開催される。

10月8日、秋田県大仙市神宮寺の宝蔵寺で本

		葬が営まれる。戒名は眞傳院智徹和光居士。本葬終了後、「むのたけじを偲ぶ会」が同所で催される。 12月、「週刊金曜日」に連載していた「たいまつ」をまとめた『たいまつ 遺稿集』（金曜日）を刊行。
2017（平成29）年	没後1年	「再思三考」は没後「伝言」を「遺言」に変えて3月いっぱいまで続く。 映画『笑う101歳×2 笹本恒子 むのたけじ』（監督・脚本 河邑厚徳）が公開。
2018（平成30）年	没後2年	6月、むのたけじ地域・民衆ジャーナリズム賞が発足。 12月、『「週刊たいまつ」復刻版』（全5巻、不二出版）を刊行。
2019（平成31）年	没後3年	1月、雄物川郷土資料館で「むのたけじ展」が開催される。 3月、横手市立雄物川図書館に「たいまつ記念室 むのたけじ その記録」が開設される。

（敬称略）

老記者の伝言
日本で100年、生きてきて

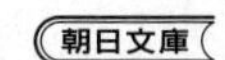

2022年7月30日　第1刷発行

著　者　むのたけじ

発行者　三宮博信
発行所　朝日新聞出版
〒104-8011　東京都中央区築地5-3-2
電話　03-5541-8832(編集)
03-5540-7793(販売)
印刷製本　大日本印刷株式会社

ISBN978-4-02-262068-2

朝日文庫

開高 健
ベトナム戦記
戦場の真っ只中に飛び込み、裸形の人間たちを凝視しながらルポルタージュしたサイゴン通信。《解説・日野啓三》

大貫 健一郎／渡辺 考
特攻隊振武寮
帰還兵は地獄を見た
太平洋戦争末期、特攻帰還者を幽閉した施設、「振武寮」。元特攻隊員がその知られざる内幕を語る驚愕のノンフィクション。《解説・鴻上尚史》

藤井 忠俊
兵たちの戦争
手紙・日記・体験記を読み解く
検閲があるなか、夫や息子からの手紙で家族は何を知ったか。日中戦争から太平洋戦争までの兵と故郷の交信記録を読み解く。《解説・吉田 裕》

ベアテ・シロタ・ゴードン／構成・文 平岡 磨紀子
1945年のクリスマス
日本国憲法に「男女平等」を書いた女性の自伝
日本国憲法GHQ草案に男女平等を書いたのは、弱冠二三歳の女性だった。憲法案作成九日間のドキュメント！ 改憲派も護憲派も必読。

網野 善彦／鶴見 俊輔
歴史の話
日本史を問いなおす
教科書からこぼれ落ちたものにこそ、この国の未来を考えるヒントがある。型破りな二人の「日本」と「日本人」を巡る、たった一度の対談。

内田 樹／白井 聡
属国民主主義論
この支配からいつ卒業できるのか
対米従属が加速する日本。「コスパ化」「幼稚化」「歴史観の喪失」をキーワードにこの国の劣化を読み解く。文庫化に新たな対談も大幅追加。